GUSTAVO RAZZETTI '94

Las recetas del Gato Dumas

CARLOS ALBERTO DUMAS

Las recetas del Gato Dumas

EDITORIAL SUDAMERICANA
BUENOS AIRES

Fotografías de tapa e interior:
Julie Weisz
(asistente: Elías Mekler)

Coordinación editorial:
Fernando Vidal Buzzi

Ilustraciones: María Cristina Brusca

PRIMERA EDICION
Noviembre de 1985

SEGUNDA EDICION
Setiembre de 1992

ISBN 950-07-0312-2

IMPRESO EN LA ARGENTINA

A María Pía Mom,
cuyas hierbas, flores y manera de ser
hicieron cambiar mi vida y mi cocina.

Agradezco la colaboración

del chef Carlos Gallardo, amigo y mano derecha inapreciable,

de Julie Weisz y Fernando Vidal Buzzi, con quienes trabajamos codo a codo y también disfrutamos la preparación de este libro.

Prólogo

Las recetas de este libro están escritas informalmente, en el estilo que es propio de Dumas, dando por entendidas muchas cosas y con una gran economía de lenguaje. Es curioso que esta misma economía de medios se refleja en la concepción de sus recetas, simples por lo general, basadas en la sutil combinación de elementos, incluso aparentemente inconciliables, que se unen en un todo armonioso. Dumas valoriza los sabores y perfumes de cada elemento y respeta su identidad.

La estructura del libro reconoce una división más o menos tradicional. Sin embargo Dumas no considera que, obligadamente, un plato central deba ser caliente, ni que necesariamente porque esté en segundo término sea más importante que el primero: el orden del menú responde al paladar de cada uno, más aún, a su fantasía.

El idioma que utiliza para dirigirse al lector es coloquial, como si le estuviera contando en forma personal cómo se prepara tal plato, tratando de transmitir en toda su intensidad tanto el instante mismo de su creación como la mejor manera para concretarla. Su concepción culinaria —¿por qué no su filosofía?— revela que lo más importante es lo que los franceses llaman tour de main, *ese toque que convierte a una preparación en algo único.*

Las recetas son todas originales de Dumas, originales tanto en el sentido de haber sido creadas como recreadas por él, porque un clásico con un toque de condimento especial o distinta modalidad en su preparación o cocción o en el orden de incorporación de sus elementos, se convierte en otro plato diferente.

La manera de plantear las recetas deja un margen para el aporte personal de cada lector. Ciertamente es un libro para iniciados, para aquellos que han experimentado la pasión de las cacerolas y las hornallas, pero no es un libro difícil ni complicado: para lograr con éxito las recetas basta prestar atención y tener sentido del placer.

Dumas ha evolucionado en sus concepciones culinarias, aunque quizá sea más justo decir que ha crecido, refinado sus ideas, al mismo tiempo que simplificado y utilizado su ingenio e intuición en lograr toques y combinaciones, sabores especiales. Hoy divide sus preparaciones en "cocina de los perfumes" y "cocina de los olores". La primera es la suya, la que le gusta, llena de delicados aromas, fruto de hierbas, especias, vinagres, licores, vinos... La segunda responde a su vertiente campesina, más rústica, sabrosa pero quizá sin la sutileza de la otra. La primera es la comida que debe prepararse casi en el momento mismo de servirla, incluso con la incorporación de tecnologías de avanzada, como el microondas o la congelación; la segunda es más tradicional, con uso de frituras y horno. Gráficamente Dumas divide estas dos cocinas ejemplificándolas con su restaurante: la "cocina de los perfumes" es la que está a la entrada, con las cacerolas de cobre y los cocineros trabajando a la vista del público; la "cocina de los olores", la ubicada en el lugar tradicional en donde están las cocinas en los restaurantes.

La estética es para Dumas un dato esencial en su vida: todos sus platos están también *pensados para ser vistos, para que sus colores y formas combinen armoniosamente, realzando el placer de comerlos.*

Dumas es un hombre al cual le gusta vivir el momento, y muchas de sus creaciones son fruto de un instante memorable o sencillamente coyuntural. Su afición a la caza y la pesca está arraigada en esta modalidad. Pero esta característica hace asimismo que sus recetas parezcan a veces una improvisación, el fruto de una inspiración circunstancial: la diferencia está en que cada improvisación, al igual que en el caso de Juan Sebastián Bach, es fruto de la sabiduría y termina siendo una obra definitivamente transcripta a un pentagrama.

Los libros de cocina, aunque generalmente no se interpreta así su uso, nacen para ser leídos desde la primera página hasta la última, y luego utilizados receta a receta. Es lógico que así sea porque más allá de las fórmulas está la personalidad del cocinero, la concepción global de su arte que determina constantes que el lector deberá captar, permitiéndole así disfrutar aun más a la hora de preparar las fórmulas propuestas.

El poeta John Keats escribió una vez: "A thing of beauty is a joy forever". *El mundo, la vida, están llenos de ejemplos de su clarividencia: entre ellos la cocina del "Gato" Dumas.*

FERNANDO VIDAL BUZZI

Autobiografía

Nací en Buenos Aires el 20 de julio de 1938. Me llamo Carlos Alberto Dumas y soy hijo de Carlos Dumas, arquitecto, y Pierrette Lagos, nacida en Francia, hija de Alberto "Turco" Lagos, famoso escultor y gourmet. Soy hijo único y heredé una tradición de buena comida y buena mesa. Mis padres salían bastante y entonces yo hacía mis menús con Pilar, la cocinera. A los siete u ocho años comencé a hacer salsas: recuerdo una con cebolla y hongos que era bastante buena. Sin duda la sangre de los Lagos influyó y también el contacto con mi abuelo: tengo una foto con él, cuando tenía dos años y medio, disfrazado de cocinero, con bigotes pintados y un cuchillo en la mano.

Estudié de primer grado a quinto año en la Escuela Argentina Modelo; después tres años de arquitectura, pero dejé todo y me fui a Londres. Allí hice pintura y escultura, me casé por primera vez y comencé a cocinar en serio. Volví en el '62, y en el '65 abrí mi primer restaurante, "La Chimère", en la calle Junín, donde ahora está "Clark's". Fue una gran experiencia, sobre todo porque me demostró que no hacía falta atarse a lo convencional para hacer un restaurante de nivel y exitoso. Luego abrí el "Drugstore de la Recoleta", también en Junín, en 1970, que duró hasta el '76. Y ese mismo año cerré "La Chimère" y en el mismo local inauguré el primer "Clark's".

Soy autodidacta, pero en un viaje que hice a Londres conocí a Robert Carrier, con quien trabajé y aprendí modalidades profesionales que influyeron decididamente en mis ideas gastronómicas.

En 1975 me fui a Buzios. Comencé al mismo tiempo a armar "Clark's" de São Paulo. En 1978 nació "Clark's" de Sarmiento, en el viejo local de Brighton.

Finalmente, en 1982, regresé a Buenos Aires y abrí "Gato Dumas" en noviembre del mismo año.

No me acuerdo por qué me llamo "Gato", pero creo que surge en la época en que jugaba al rugby y era joven, flaco y ágil. Tengo muchísimos buenos amigos, algunos de ellos desde mi infancia. Me gusta la vida, toda, lo triste y lo alegre. Ejerzo la cocina como parte de mi vida, pero profesionalmente, no como hobby.

Soy arbitrario en mis gustos y tolerante al máximo con los ajenos. Eso sí, exigente en todo, hasta conmigo mismo.

Vocabulario

No soy muy afecto a utilizar términos complicados en la descripción de las recetas, pero sin embargo el trabajo cotidiano profesional me hace usar algunos casi sin darme cuenta. A fin de dejar en claro de qué tratan los explicaré.

Blanquear: Pasar rápidamente un alimento por agua hirviendo y luego por agua fría.

Bouquet garni: Ramitas de tomillo, laurel, perejil (o bien romero, albahaca, estragón, hinojo, apio), atadas con un hilo y que se sacan al final de la cocción.

Concassé: Verduras cortadas groseramente.

Croutons: Cubos de migas de pan (del día anterior) de más o menos 1 cm de lado, fritos en manteca o aceite, y luego escurridos cuidadosamente sobre papel absorbente.

Chino: Colador en forma de embudo, metálico, y con agujeros chicos.

Desglasear: Disolver con un líquido (vinagre, vino, agua) las materias que quedan pegadas en el fondo de un recipiente al final de una fritura u otro tipo de cocción.

Duxelle: Preparación destinada a realzar el sabor de un relleno o salsa, compuesta por un picadillo de cebollas, echalotes y champiñones.

Fines herbes: Apio, perifollo, ciboulette, estragón, perejil, romero, tomillo, laurel, combinados dos o tres de ellos de diversas maneras, colocados en una bolsita (o lienzo atado) y sumergido en el líquido de cocción o salsa. Se saca al terminar de cocinar.

Fondos (ver recetas).

Glasear: Saltear a fin de recubrir un elemento con manteca, azúcar y un poquito de sal.

Harina manié: Mitad manteca y mitad harina, trabajadas hasta formar una pasta, que se agrega en forma de pequeñas bolitas, de a una y batiendo, a una salsa para espesarla.

Juliana: Forma de cortar las verduras (u otros ingredientes) en bastoncitos de 5 a 7 cm, finos o gruesos según se necesite.

Ligar: Amalgamar y espesar una salsa con uno de estos elementos: manteca manié, fécula, harina, huevos, manteca, crema, papas, purés de verduras.

Manteca clarificada: Derretir a fuego lento la manteca, espumándola a fin de suprimir todas las impurezas. Debe quedar bien transparente.

Mignonnette: Pimienta pisada groseramente, con un palo de amasar u otro elemento semejante.

Mirepoix: Base para salsa constituida por zanahorias, cebollas, echalotes, con panceta o sin ella, todo cortado en cubitos y salteado en manteca.

Napar: Cubrir una preparación o un ingrediente con otro o con una salsa.

Reducir: Disminuir el volumen de un líquido por ebullición o fuego suave, según el caso.

Roux (ver recetas).

Trabajar: Remover bien un líquido, pasta, relleno, conjunto de ingredientes hasta que quede bien mezclado y unido.

Medidas

He tratado de ser explícito en las recetas e indicar con precisión las cantidades en forma fácil y práctica buscando evitar el uso de la balanza. Sin duda, la mano y el paladar del cocinero, hasta su vista y olfato, saben con mayor exactitud que los números cuándo hace falta un poquito más o un poquito menos de esto u otro.

Las equivalencias básicas que pueden necesitarse son:

1 vaso o copa de agua = 2 decilitros más o menos.
1 vaso o copa de vino = 1 decilitro más o menos.
1 copa de licor = ½ decilitro más o menos.

Equipamiento de la cocina

En una cocina es necesario tener los implementos adecuados para que el trabajo se desarrolle en una forma práctica y veloz. El equipamiento puede variar, sin duda, pero la lista que sigue da una idea completa de las necesidades de una buena instalación. Usted podrá completarla, por ejemplo, con moldes, terrinas, etcétera.

Lo mejor para las cacerolas y sartenes es el cobre, pero no es fácil conseguirlas. En ese caso opte por el acero.

1 olla de 8 litros
1 cacerola para pastas de 4 litros
1 cacerola de doble fondo para cocinar al vapor
2 cacerolas standard de 20 y 25 cm
2 cacerolitas, con mango, para salsas, de 18 cm
1 cacerola de hierro, con tapa (para guisados), de 3 litros
2 sartenes standard de 30 y 25 cm
1 sartén de 20 cm, sólo para omelettes
1 sartén de 18 cm, sólo para crêpes
1 salteadora de 10 cm de alto por 30 cm de boca
2 jarros
1 pava
1 bañomaría
2 asaderas rectangulares de 36 y 30 cm
1 colapastas
1 colador rejilla grande
1 colador para frituras
1 cuchilla para carne de 25 cm (hoja)
1 cuchillo standard de 20 cm (hoja)
2 cuchillitos para verduras y frutas de 10 cm (hoja)
1 cuchillo deshuesador
1 cuchillo fiambrero
1 cuchillo serrucho
1 hachuela
1 medialuna
1 chaira
1 piedra de afilar
1 pelapapas
2 cucharones (chico y grande)
1 espátula de metal
1 espátula de goma
1 espátula de metal para escurrir
1 espumadera
1 tenedor de dos dientes largos
1 tenedor standard grande
1 plancha de hierro acanalada
1 cuchara standard grande
2 cucharas de madera
2 batidores de alambre (chico y grande)
1 chino
1 tijera
1 tijera para aves
1 abrelatas
1 pincel
1 rallador para verduras
1 rallador para queso
1 tirabuzón
1 abridor de botellas (tapas)
1 aparatito para papas noisettes
1 descarozador de aceitunas
1 molinillo para hierbas
1 prensaajos
1 mortero
1 exprimidor
2 molinillos para pimienta
1 tamiz de acero
1 bol de acero con una manija para batir
2 bols de vidrio (chico y grande)
2 bols de cerámica (chico y grande)
2 bols de plástico (chico y grande)
1 ensaladera de cerámica
1 embudo
1 licuadora
1 robot para todo uso (optativo)
1 palo de amasar
2 tablas grandes para picar (el acrílico es lo mejor)
1 placa de amianto

Despensa básica

Parto de la base de que en lo posible todo lo que se pueda usar fresco se utiliza así. Por lo tanto los elementos aquí indicados son realmente complementos básicos, pero imprescindibles, algunos de los cuales serán aclarados más adelante.

Sal gruesa
Sal fina
Aceites (oliva, maíz, etcétera)
Vinagres (ver capítulo correspondiente)
Hierbas y especias (ver capítulo correspondiente)
Tés
Mayonesa
Ketchup
Salsa Worcester (o inglesa)
Salsa de soja
Caldos concentrados (carne, gallina, verdura)
Tabasco
Mostazas (ver capítulo correspondiente)
Frutas secas (nueces, pasas, almendras, etcétera)
Miel (de rosas es preferible)
Mermeladas
Fécula de papas
Fécula de maíz
Harina

La frescura de los alimentos

La base de una buena cocina es una buena compra. Como dicen los chinos, "no se saca de la cacerola nada mejor que lo que se puso".

Por lo tanto, es importantísimo utilizar siempre ingredientes de primera calidad, tanto frescos como secos, enlatados o embotellados. A continuación daré algunas indicaciones para el reconocimiento de los productos frescos, pero nada reemplaza a la experiencia: indico señales que deberán perfeccionarse con la práctica de la compra. En todo caso tenga siempre presente que los productos deben lavarse y secarse bien, por lo general antes de ser guardados en la heladera o el freezer.

Carne de vaca: Tiene que ser firme a la presión del dedo, de un color rojo, con la grasa blanca, sedosa pero no húmeda y, obviamente, sin olores dudosos (lo cual vale para *todos* los ingredientes).

Carne de cordero: Magra, de color entre rojo y rosado y la grasa blanca.

Carne de chancho: Color rosado intenso y con equilibrio entre grasa y carne (o sea sin exceso de grasa).

Mollejas: Blancas. Antes de guardarlas remojarlas en agua fría 15 minutos, luego blanquearlas 5 minutos en agua hirviendo, pelarlas y escurrirlas.

Riñones: Sacarles la tela que los recubre y cortar al máximo la grasa del centro. Antes de cocinar sumergirlos 10 minutos en agua con vinagre (4 partes de agua por una de vinagre) y un poquito de sal gruesa.

Sesos: Sumergirlos en agua fría 20 minutos, cambiando a los 10 minutos el agua. Luego sacarles la membrana y los coágulos, lavar bien y blanquear 5 minutos.

Aves: Sus ojos deben ser transparentes, no turbios, su carne firme y blanco amarillenta, jamás verdosa o amarronada, las crestas rojas, las patas sin escamas, la pechuga flexible y firme a la presión del dedo.

Hígados de pollo: Cortar con cuidado la hiel y cualquier partícula de color verdoso que tengan.

Pescados: Las escamas tienen que estar bien adheridas a la carne, sus agallas bien cerradas y sin ningún olor, los ojos claros, brillantes, no hundidos ni "ojerosos", la carne firme y elástica a la presión. Es mejor comprar pescados enteros y luego filetearlos. Desecharlos ante cualquier olor sospechoso.

Mariscos: En lo posible comprarlos vivos y crudos. En términos generales valen las mismas indicaciones que para el pescado.

Verduras: Color brillante, textura firme y no mustia ni blanda, sin manchas marrones ni machucaduras. En general son mejores las chicas que las grandes. En las verduras de hoja sacar siempre las hojas externas y los tallos duros.

Frutas: Color brillante, carne firme, maduras pero no pasadas, sin manchas ni machucaduras.

Puntos de cocción

Este asunto es muy delicado y subjetivo, puesto que cada uno tiene su gusto personal. Indicaré los que a mí me parecen ideales.

Carne de vaca: Poco cocida, con el centro rojo.

Carne de cordero: Igual pero con el centro rosado.

Carne de chancho: Igual pero con el centro menos rosado que el cordero.

Aves: Bien cocidas.

Entrañas: Bien cocidas.

Pescados: Cocidos a punto, es decir que no estén secos.

Mariscos: Igual que los pescados, pero es mejor comerlos crudos siempre que sea posible.

Verduras: En el caso de las de hoja, siempre crocantes, para lograr lo cual no debe hervirlas, sino cocerlas al vapor o saltearlas en manteca o aceite. Las otras, hervirlas a punto o asarlas en el horno.

Hierbas y especias

Son sin duda el alma de la cocina. Hay muchísimas y todas se pueden usar, pero para la base de mi alquimia personal bastan:

3 mostazas (inglesa, francesa y liviana)
3 curries (Madrás, mild y perfumado)
4 pimientas (blanca, negra, verde y rosa)
2 especias (cardamomo y jengibre)
Hierbas (en especial, estragón, eneldo, romero, salvia y ciboulette)
Echalotes
Vinagres preparados (ver recetas)

Las hierbas frescas son superiores a las secas: se las deberá lavar y secar cuidadosamente.

A título indicativo señalaré algunas hierbas y especias de uso frecuente en mi cocina:

Albahaca: Ensaladas y pastas. Usar hojas o ramitas según el caso.

Amapola: Postres y algunas preparaciones con huevos. Semillas solamente.

Azafrán: Arroces y cazuelas. Lo mejor son los pistilos. Si se usa en polvo comprar de primera calidad, pues se corre el riesgo de consumir cúrcuma.

Cardamomo: Uso general, incluso en el café. Semillas o polvo.

Ciboulette: También llamado cebollín o cebollino. Uso general tanto en condimento como en decoración. Hojitas largas y finitas solamente.

Clavo de olor: Uso general, pero siempre con muchísimo cuidado porque es muy fuerte. Entero y sacarlo al terminar la cocción.

Comino: Uso general pero con mucho cuidado porque invade todo. Semillas o polvo.

Curries: Es una mezcla de especias y existe una gran variedad. El Madrás es más fuerte que el mild. También los hay muy perfumados y suaves. Diversos usos.

Enebro: Marinadas, caza, guisados. Se utilizan las bayas enteras o pisadas groseramente.

Eneldo: Pescados en preparaciones agridulces, al estilo nórdico. Se usan hojas o semillas (enteras o en polvo). Lo mejor son las hojas frescas.

Estragón: Uso general. Hay una variedad francesa, más fragante, y otra rusa, inferior. Hojas o ramitas según el caso.

Jengibre: Ensaladas, pescados, guisados, curries y además afrodisíaco. Lo ideal sería utilizar el rizoma fresco rallado, pero es muy difícil conseguirlo: en este caso usar en polvo.

Kümmel: Postres. Semillas.

Laurel: Uso general pero con cuidado porque es invasor. Especial para marinadas, encurtidos. Hojas solamente.

Macis: Es la parte externa de la nuez moscada, más fina y sutil que ésta. Salsas blancas y cremosas.

Menta: Cordero y como acompañamiento de helados. Hay muchas variedades, unas mejores que otras. Hojas.

Mostazas: La francesa (Dijon) tiene color amarillento con tonalidades grisáceas, es más suave que la inglesa y existen muchas variedades. La inglesa (Colman's) es amarillo fuerte, muy picante y en general se consigue en polvo, que yo prefiero preparar con jerez o cerveza. La liviana o americana es la más común aquí.

Nuez moscada: Salsas blancas o cremosas. Ralladura.

Orégano: Uso general, aunque personalmente casi no lo utilizo. La variedad más fina es la mejorana. Con cuidado porque es invasor. Ensaladas y salsas para pastas.

Paprika: Las hay dulces y picantes. Use la importada de Hungría que es insuperable.

Perejil: Uso universal, tanto hojas como tallos o ramitas, según el caso. Hay muchas variedades, entre ellas el crespo, ideal para decorar.

Perifollo: Cercano al perejil, aromático. No me gusta mucho.

Pimientas: Indispensables para todo. La negra son las bayas secas y arrugadas, es más dulce que la blanca. La blanca son las bayas maduras y peladas, menos picante y aromática que la negra. La verde son los granos frescos y sin madurar, más suaves que las anteriores. La rosa, difícil de conseguir, es la más tenue de todas.

Pimentón: Como la paprika hay dulce y picante, pero prefiero la primera.

Romero: Carnes asadas. Se usan las hojitas pinchudas o ramitas, según el caso. También se utiliza en artes de brujería.

Salvia: Pastas, pescados, rellenos. Hojas.

Salsa de soja: Sabor muy particular y agradable, entre salado y picante, es un condimento que valorizo mucho.

Tomillo: Carnes o pescados asados. Hojitas o en rama. Con cuidado porque es invasor.

Entradas frías

Gazpacho de "La Chimère"

4 personas
Tiempo de preparación: 30 minutos
Tiempo de heladera: 3 horas.

Ingredientes

1½ kg de tomates maduros, pelados y sin semillas
1 cebolla mediana cortada en dados
1 pepino cortado en dados
1 pimiento verde cortado en dados
¼ kg de miga de pan remojada en agua
1 tacita de aceite de maíz
3 cucharadas de vinagre de vino
1 cucharada de azúcar
Sal, pimienta recién molida
2 dientes de ajo pelados y sin corazón

Guarnición

1 pimiento verde pelado y picado fino
1 pepino pelado y cortado finito
1 cebolla picada fina
32 dados de pan frito

Preparación

1) Licuar los tomates, la cebolla, el pepino, el pimiento, los ajos, la miga de pan, el azúcar, el aceite, el vinagre, todo salpimentado, hasta lograr una crema homogénea.

2) Enfriar en el refrigerador durante 3 horas y servir.

3) Se puede agregar agua helada para que quede más líquido.

4) También se puede servir con cubitos de hielo.

5) Acompañar con los elementos indicados para la guarnición, presentándolos en distintos platos.

Vichyssoise con berros en "La Chimère"

La primera Vichyssoise fue hecha en "La Chimère". Hoy son pocos los restaurantes que no tienen esta sopa en sus menús.

4 personas
Tiempo de preparación: 1 hora
Tiempo de cocción: 40 minutos

Ingredientes

1½ kg de papas
1 taza de hojas de berro
50 g de cebolla de verdeo
50 g de manteca
1 litro de caldo de ave
200 g de crema de leche
2 puerros
3 hojas de laurel
Sal, pimienta blanca

Preparación

1) Rehogar la manteca con los puerros y la cebolla de verdeo durante 5 minutos cuidando que no llegue a dorarse.

2) Agregar las papas y los berros, previamente hervidos en el caldo con el laurel; cocinar durante aproximadamente 40 minutos.

3) Una vez cocinado, pasar todo por tamiz y enfriar revolviendo con frecuencia.

4) Poner en la heladera durante 2 horas.

5) Al servirlo, agregar la crema y revolver con un batidor hasta que se mezcle bien.

6) Servir bien helado decorado con hojas de berros.

Sopa de berros y manzanas

4 personas
Tiempo de preparación: 10 minutos
Tiempo de cocción: 15 minutos

Ingredientes

2 cucharadas de manteca
1 cebolla cortada gruesa
1 taza de hojas de berro
6 dl de caldo de ave
1 cucharada al ras de curry suave
1 cucharada de maicena
2 yemas de huevo
1,5 dl de crema espesa caliente
3 manzanas
Sal y pimienta negra recién molida
Jugo de ½ limón
Hojas de berro para decorar

Preparación

1) Derretir la manteca; agregar la cebolla hasta que se ablande pero no se dore. Agregar el berro, el caldo de ave y el curry en polvo. Añadir la maicena mezclada con un poco de agua. Hervir y luego mantener a fuego lento por 8 minutos.

2) Agregar las yemas a la crema caliente y gradualmente volcarla en la sopa.

3) Retirar del fuego inmediatamente y poner la mezcla en una batidora con una manzana pelada, descorazonada y cortada en láminas. Batir hasta que esté suave o pasarla por cedazo. Sazonar con sal y pimienta negra recién molida. Enfriar.

4) Pelar, descorazonar y cortar en dados el resto de la manzana y marinar en jugo de limón para prevenir la decoloración.

5) Antes de servir agregar los dados de manzana y suficientes hojas de berro para decorar.

Sopa de palta

4 personas
Tiempo de preparación: 15 minutos
Tiempo de cocción: 20 minutos

Ingredientes

2 paltas maduras
1 cucharadita de té, de curry
Sal
Pimienta negra recién molida
1,5 dl de crema espesa
6 dl de caldo
2 cucharadas de té, de jugo de limón
Pimienta de Cayena
Perejil finamente picado

Preparación

1) Pelar las paltas dejando la piel lo más delgada posible. Dividirlas longitudinalmente y quitar los carozos. Separar un poco de la pulpa de color verde más oscuro para decorar. Licuar la palta en dados con curry, sal, pimienta y crema espesa.

2) Mezclar el caldo y el jugo de limón. Llevar suavemente a hervor, agregar un poco a la mezcla de palta y crema y luego el resto. Llevarlo a fuego lento.

3) Corregir el sabor con un poco de pimienta de Cayena y más jugo de limón si se desea.

4) Servir en recipientes individuales, decorados con trozos de palta de color verde oscuro y un poco de perejil finamente picado.

Ensalada de espinaca, pomelo y amapola

4 personas
Tiempo de preparación: 15 minutos

Ingredientes

1 pomelo carnoso y si es posible rosado
1 kg de hojas chicas y crudas de espinaca
18 flores de amapola para decorar

Aderezo

2 cucharadas de aceite de oliva
4 cucharadas de aceite de maiz
4 cucharadas de miel (si es posible de rosas)
Jugo de 2 limones
3 cucharadas de vinagre de vino blanco, o mejor vinagre de champagne
3 cucharadas de semillas de amapola
Sal y pimienta negra recién molida

Preparación

1) Lavar las hojas de espinaca y secarlas.

2) Pelar el pomelo y sacar los gajos enteros sin quebrarlos.

3) Poner los gajos y las hojas en una ensaladera.

4) Hacer el aderezo mezclando los ingredientes menos las semillas de amapola. Agregar a la ensaladera, espolvorear las semillas por encima.

5) Decorar la ensaladera con una corona de flores de amapola (sin tallos).

Lechuga y roquefort

4 personas
Tiempo de preparación: 20 minutos

Ingredientes

2 plantas de lechuga

Aderezo

8 cucharadas de aceite de oliva
2 cucharadas de vinagre de estragón
2 cucharadas de crema
2 cucharadas de queso roquefort desmenuzado
Sal y pimienta negra recién molida
Gotas de Tabasco
2 huevos duros picados finos
2 tajadas de panceta ahumada finamente picada

Preparación

1) Lavar y preparar la lechuga; secar cada hoja cuidadosamente. Envolver en un repasador y colocar en la heladera hasta el momento de usar.

2) Mezclar aceite, vinagre, crema y roquefort en un bol pequeño y batir hasta que quede bien suave. Incorporar sal, pimienta negra recién molida y Tabasco.

3) Agregar los huevos duros y la panceta que se habrá rehogado previamente en la sartén.

4) Poner la lechuga en un bol, verter el aderezo, revolver y servir.

Ensalada de champiñones crudos y endibias

4 personas
Tiempo de preparación: 20 minutos

Ingredientes

1 kg de champiñones crudos y muy frescos
Jugo de 1 limón
4 endibias
1 cucharada de perejil picado fino
1 cucharada de aceite

Aderezo

3 cucharadas de crema fresca
1 cucharada de postre, de estragón fresco bien picado
1 cucharadita de té, de mostaza tipo Dijon
Sal, pimienta negra recién molida

Preparación

1) Lavar y secar bien los champiñones. Filetearlos y mojarlos con el limón. Salar de inmediato, agregar el sobrante del limón, el aceite y la pimienta.

2) Colocar en la ensaladera los champiñones en el centro; luego en forma de corona las hojas jóvenes de endibias, mojadas con la crema, estragón picado, mostaza, sal, pimienta negra recién molida y perejil. Estos componentes se habrán mezclado previamente.

El éxito de esta preparación reside en usar los ingredientes frescos, de primera calidad.

Endibias, vinagre de estragón y mostaza

4 personas
Tiempo de preparación: 20 minutos

Ingredientes

6 endibias medianas
1 cucharada de mostaza tipo Dijon
1 cucharadita de café, de mostaza inglesa
3 cucharadas de vinagre de estragón
1 cucharada de estragón fresco picado
50 g de crema fresca
Sal y pimienta

Preparación

1) Deshojar las endibias y usar las que no estén muy maduras (cuando maduran pierden firmeza, se ponen verdes y amargas).

2) Limpiar cada hoja con mucha agua fría. Secarlas.

3) Hacer un aderezo batiendo los ingredientes. Si se quiere también se puede agregar mayonesa.

Endibias y angulas

4 personas
Tiempo de preparación: 10 minutos
Tiempo de cocción: 30 minutos

Ingredientes

1½ kg de endibias
1 cucharada de harina
3 cucharadas de manteca
Sal, pimienta, cardamomo, macis
2 vasos de sidra
1 taza de crema de leche
2 cucharadas de jugo de limón
1 lata de angulas

Preparación

1) Cortar los tallos de las endibias y separar todas sus hojas parejas. Saltearlas en dos cucharadas de manteca, suavemente, hasta que queden crocantes. Retirar y dejar en lugar caliente.

2) Mientras, a bañomaría, cocinar la harina con manteca (la cucharada restante). Agregar sal, pimienta, cardamomo, macis. Luego añadir y mezclar lentamente la sidra y la crema, finalmente el jugo de limón.

3) Entretanto se habrán calentado las angulas.

4) En una fuente distribuir prolijamente las endibias, mojarlas con la salsa y encima de ésta colocar las angulas.

Hojas de endibias y patas de centolla (mayonesa y naranja)

4 personas
Tiempo de preparación: 30 minutos

Ingredientes

20 buenas patas de centolla (la carne solamente)
20 hojas del corazón de las endibias
½ taza de mayonesa
1 copa de jugo de naranja
Pimienta negra en grano recién molida

Preparación

1) Lavar las hojas de endibias, que deberán ser parejas y muy frescas.

2) En platos individuales chicos, disponer las hojas con el hueco para arriba. Allí se colocarán a lo largo las patas de centolla, una por hoja (irán las hojas en forma de rayos de sol partiendo del centro del plato).

3) Mezclar la mayonesa con el jugo de naranja y verterla en el centro del plato.

4) Al servir pimentar con un molinillo.

5) Comer con las manos.

Ensalada de espinaca

4 personas
Tiempo de preparación: 15 minutos
Tiempo de cocción: 15 minutos

Ingredientes

2 plantas de espinaca
1 taza de brotes de soja
1 taza de brotes de alfalfa
100 g de panceta frita en dados
40 croutons fritos
10 cabezas de champiñones en juliana

Preparación

1) En una fuente de servir colocar las hojas de espinaca cruda enteras en toda la base y los costados. En el centro y en grupos separados los demás ingredientes, excepto la panceta y los croutons que se desparramarán por toda la superficie.

2) Aderezar con vinagreta.

Ratatouille fría

4 personas
Tiempo de preparación: 10 minutos
Tiempo de cocción: 60 minutos

Ingredientes

8 cucharadas de aceite de oliva
2 cebollas en rodajas
2 ajíes verdes cortados en dados
2 berenjenas cortadas en dados
2 zapallitos (zucchini) cortados en láminas
6 tomates maduros, pelados, sin semillas y picados
Sal y pimienta negra recién molida
1 cucharada de perejil picado
Mejorana u orégano
Albahaca
1 diente de ajo grande triturado
Croutons de pan lactal

Preparación

1) Calentar el aceite en una cacerola y saltear allí las láminas de cebolla hasta que estén transparentes. Agregar los ajíes verdes y las berenjenas, y después de 5 minutos los zucchini y los tomates. Los vegetales no deben quedar fritos sino sólo rehogados en el aceite, por lo tanto calentar a fuego suave en cacerola tapada por 30 minutos.

2) Salpimentar a gusto. Agregar perejil picado, mejorana u orégano, albahaca y ajo triturado. Luego destapar y cocinar por 10 ó 15 minutos o hasta que la ratatouille esté bien mezclada y tenga aspecto de un ragoût de vegetales.

3) Servir frío, como una entrada deliciosa para una comida de verano, con pan lactal frito en manteca.

Ensalada con paltas y langostinos

4 personas
Tiempo de preparación: 25 minutos

Ingredientes

2 paltas grandes
12 langostinos grandes
2 huevos duros
2 zanahorias
1 corazón de lechuga
2 rodajas de ananá cortadas en dados
Aceitunas verdes y negras descarozadas

Aderezo

1 copa de aceite de oliva
½ copa de vinagre de estragón
1 copa de cerveza
50 g de roquefort picado
50 g de gruyère picado grueso
Sal, pimienta negra recién molida, mostaza, curry, pimienta verde.
Mezclar bien.

Preparación

1) En un bol grande colocar las paltas cortadas en gajos y 6 langostinos (las colas peladas). Guardar los otros 6 con cabeza para la decoración.

2) Agregar huevos duros en rodajas, lechuga, zanahorias crudas en tiras, ananá y aceitunas.

3) Aderezar.

Blinis con salmón ahumado

4 personas
Tiempo de preparación: 10 minutos
Tiempo de cocción: 20 minutos

Ingredientes

360 g de buen salmón ahumado
4 limones
4 huevos duros. Las yemas y las claras separadas y picadas finas
4 cucharadas de alcaparras
4 cucharadas de crema ácida
4 cucharadas de cebolla picada fina

Para los blinis

Blinera. En caso de no tener blineras hacerlos en una sartén grande y luego cortarlos con un molde o una copa de 8 cm de diámetro y un poco más de 5 mm de altura.

Ingredientes para la masa

20 g de levadura
½ litro de leche tibia
50 g de harina tamizada
250 g de harina tamizada
4 yemas de huevo
3 dl de leche tibia
Sal
4 claras a nieve
1 dl de crema fresca
100 g de manteca para cocinarlos

Preparación y cocción de los blinis

1) 20 g de levadura disuelta en ½ litro de leche tibia y 50 g de harina tamizada. Ponerla en una terrina y dejar fermentar 2 horas.

2) Agregar 250 g de harina tamizada, 4 yemas, 3 dl de leche tibia y poca sal.

3) Una vez bien mezclada agregarle a último momento 4 claras batidas a nieve y 1 dl de crema. Dejar descansar 35 minutos.

4) Con esta preparación hacer los pequeños blinis que se cocinarán en manteca como cualquier otra crêpe.

Presentación

En potes o bols pequeños colocar cada ingrediente por separado: yemas, claras, cebolla, alcaparras, crema ácida. Ocho medios limones en corona en una fuente grande donde se dispondrá el salmón, decorado con perejil crespo.

Los blinis irán en una fuente envueltos en una linda servilleta de hilo.

Si se quiere usar caviar: Colocar la lata o el vidrio sobre un colchón de hielo. Todo lo demás es igual que con el salmón. Recomiendo usar caviar ruso o iraní, y no símil caviar, que es teñido y de plástico.

Ensalada de centolla y vieiras

4 personas
Tiempo de preparación: 30 minutos

Ingredientes

1 taza de vieiras sin cáscaras
1 lata de centolla de 190 g
6 tazas de arroz hervido
1 morrón cortado en juliana
50 g de champiñones en tajadas (frescos)
25 g de nueces picadas gruesas
Sal y pimienta
¼ taza de aceite
Mayonesa con mostaza
3 cucharadas de pasas sin semillas y remojadas

Preparación

1) En una ensaladera mezclar el arroz con el morrón, las pasas, la centolla, las vieiras, sal, pimienta y aceite.

2) Cubrir con los champiñones y las nueces picadas.

3) Servir acompañado con mayonesa y mostaza.

Ensalada de centolla y langostinos (gajos y mayonesa de naranjas)

4 personas
Tiempo de preparación: 15 minutos

Ingredientes

500 g de centolla (carne, con las patas)
250 g de colas de langostinos
1 taza de mayonesa
12 gajos de naranja, pelados y sin semillas
½ taza de jugo de naranja
1 planta de lechuga
8 cabezas de champiñones

Preparación

1) En una fuente o en platos chicos individuales colocar las hojas del corazón de lechuga, acomodar la carne de la centolla separada de las colas de langostinos por una hilera de champiñones crudos, sin tallo y cortados finos.

2) Hacer una mayonesa y agregarle jugo de naranja. Napar con esta salsa las carnes.

3) Decorar con los gajos de naranja, en lo posible colorada.

Centollas y naranjas

4 personas
Tiempo de preparación: 20 minutos

Ingredientes

400 g de carne de centolla o 2 latas de 190 g cada una
1 planta de lechuga morada
2 tazas de mayonesa
2 naranjas
1 limón
Sal y pimienta
Jugo de 2 naranjas

Preparación

1) Tomar 4 platos de postre y colocar en cada uno de ellos 2 hojas de lechuga. Encima disponer en forma ordenada la centolla. Pelar las naranjas, quitarles el hollejo y separarlas en gajos.

2) Mezclar el jugo con la mayonesa, salpimentar y napar con la salsa. Decorar con el limón pelado y cortado en rodajas y con los gajos de la naranja que se habrán reservado.

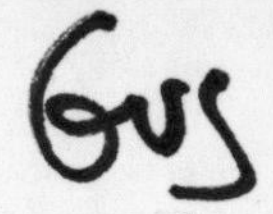

Ensalada de verano

Esta ensalada fue del "Drugstore". Formaba parte de las "Cuatro estaciones"

4 personas
Tiempo de preparación: 30 minutos

Ingredientes

200 g de camarones pelados
1 corazón de lechuga
2 tazas de arroz blanco cocido
1 lata chica de centolla (100 g)
1 palta en cubitos
12 aceitunas verdes descarozadas y picadas gruesas
12 aceitunas negras descarozadas y picadas gruesas
1 lata chica de palmitos en cubitos
1 zanahoria cocida y en cubitos
2 cucharadas de pasas sin semillas, remojadas

Aderezo

1 copa de vino blanco seco
2 cucharadas de mostaza francesa
4 cucharadas de aceite
Jugo de limón
Sal y pimienta negra en grano
1 copa de vinagre de estragón

Preparación

1) Mezclar todos los ingredientes menos las hojas del corazón de la lechuga, que se usarán para forrar la ensaladera.

2) Preparar el aderezo mezclando sus ingredientes y verter sobre los componentes de la ensalada.

3) Servir bien frío.

Ensalada del agua

4 personas
Tiempo de preparación: 30 minutos

Ingredientes

1 planta de lechuga
150 g de colas de langostinos
150 g de mejillones cocidos
150 g de camarones pelados
2 tomates grandes en gajos
150 g de champiñones en tajadas
1 lata de centolla desmenuzada (100 g)
2 cucharadas de vinagre de eneldo
6 cucharadas de aceite de oliva
Sal, pimienta negra en grano recién molida
1 cucharadita de azúcar
1 cucharada de eneldo picado
Croutons de pan lactal

Preparación

1) En una fuente colocar cada marisco sobre hojas de lechuga y los champiñones en el medio. Adornar con los gajos de tomates.

2) Hacer una salsa con vinagre, aceite, sal, pimienta, azúcar y eneldo picado.

3) Mojar con esta salsa.

4) Servir con croutons.

Truchas ahumadas del sur y crema

4 personas
Tiempo de preparación: 20 minutos
Tiempo de cocción: 20 minutos
Tiempo de cocción de la salsa: 5 minutos

Ingredientes

4 truchas ahumadas
1 atado de berros
1 taza de crema fresca
2 cucharadas de ciboulette picada
Sal, pimienta negra recién molida

Preparación

1) Pelar las truchas.

2) Deshojar los berros y ponerlos como colchón de las truchas en una fuente de servir.

3) En una cacerolita entibiar la crema con la ciboulette, sal y pimienta.

4) Napar las truchas con esta crema tibia.

Taramasalata como en "La Chimère"

Ensalada griega de huevas de pescado.

4 personas
Tiempo de preparación: 40 minutos

Ingredientes

2 latas de pasta de huevas de pescado
10 rebanadas de pan descortezadas
Jugo de 1 limón
¼ taza de cebolla picada muy fina
1 taza de aceite de oliva
8 aceitunas negras descarozadas
8 rodajas de tomate
1 diente de ajo
Sal, pimienta negra

Preparación

1) Frotar con el diente de ajo un bol y remojar en él el pan con el aceite de oliva; salpimentar agregando el jugo de un limón y un poco de agua, si fuera necesario.

2) Una vez que la masa absorbió totalmente el líquido agregar las huevas y la cebolla pisando y mezclando bien.

3) Servir frío acompañado con las aceitunas y las rodajas de tomate.

Turbante de lenguado y salmón ahumado

8 personas
Tiempo de preparación: 15 minutos
Tiempo de cocción: 50 minutos

Ingredientes

8 filetes de lenguado cortados muy finos
8 filetes de salmón ahumado cortados muy finos

Mousseline

400 g de carne de lenguado cortada en trocitos
Sal y pimienta negra recién molida
3 claras batidas a nieve
5 dl de crema fresca

Salsa

300 g de manteca
10 hojas de estragón fresco
1 cucharadita de café, de curry Madrás
Jugo de 3 limones

Preparación

1) Preparar una mousseline de lenguado: en un mortero pisar 400 g de lenguado cortado en pedacitos hasta llegar a una pasta homogénea. Salpimentar. Agregar 3 claras batidas a nieve. Pasar la pasta en pequeñas cantidades por un tamiz fino. Ponerla en un recipiente de vidrio, y mezclarla bien con 5 dl de crema. Seguir mezclándola y dejarla 1 hora en la heladera. Retirar y volver a batir fuertemente.

2) Enmantecar un molde tipo savarin forrándolo alternadamente con un filete de lenguado y uno de salmón hasta utilizar los 8 filetes de cada uno, dejando una cola larga que sobresalga de los bordes para poder cubrir por encima una vez rellenado con la mousseline.

3) Rellenar con la mousseline ya preparada. Tapar con las colas los filetes de pescado.

4) Cubrir el turbante con un papel de aluminio. Colocar el molde en una asadera con agua. Cocinar en el horno por 40 minutos a 170°C. Retirar.

5) Dejar reposar el turbante por 20 minutos. Retirar el papel y desmoldar en una fuente para servir.

6) *Salsa para acompañar:* en una cacerola de doble fondo ablandar 300 g de manteca con 10 hojas de estragón fresco picado, una cucharadita de café, de curry Madrás, jugo de 3 limones. Mezclar todo batiendo constantemente sin dejar que la manteca se clarifique; debe quedar bien cremosa. Servir la salsa muy caliente aparte.

Huevos escritos y salsa verde

Restaurante "Gato Dumas", "Cocina de los perfumes", menú del mediodía, colección primavera-verano 1983-1984.

4 personas
Tiempo de preparación: 10 minutos
Tiempo de cocción: 150 minutos

Ingredientes

8 huevos duros
2 tazas de mayonesa
3 cucharadas de puré de espinacas
1 cucharada de ciboulette picada grande
6 cucharadas de té negro
Salvia, romero, estragón
½ taza de salsa de soja

Preparación

1) Hacer una infusión con tres litros de agua, 6 cucharadas de té negro, salvia, romero, estragón, ciboulette, soja. Hervir durante 30 minutos.

2) Cuando los huevos estén duros, astillarlos haciéndolos correr apretándolos sobre una mesa.

3) Hervir los huevos en la infusión por 120 minutos. Al retirarlos, descascararlos inmediatamente, pues en caso contrario no quedarán bien marcados.

4) Preparar una mayonesa y mezclar con el puré de espinacas.

5) Al servir, cortar los huevos en forma transversal, dividir la salsa en cuatro partes y colocarla en el fondo de cuatro platos. Los huevos irán con la parte plana sobre la salsa mostrando arriba su rayada decoración.

Ensalada y pollo con cerezas y crema de estragón

Inauguró el menú del "Drugstore" en 1971.

4 personas
Tiempo de preparación: 30 minutos

Ingredientes

1 pollo cocido y deshuesado, en trozos grandes
½ planta de lechuga
200 g de cerezas descarozadas
½ taza de caldo de pollo muy concentrado
Aceite, vinagre, perejil picado
20 croutons fritos
1 huevo
4 cucharadas de azúcar impalpable
½ taza de crema batida
Sal, pimienta, vinagre de estragón
Estragón fresco picado
Una pizca de curry mild
1 cucharada al ras de mostaza tipo Dijon

Preparación

1) *Para hacer la crema:* poner a bañomaría el huevo con el azúcar y agregar gradualmente el vinagre, sin dejar de batir.

2) Retirar cuando espese, batir aún unos minutos y dejar enfriar.

3) Agregar crema batida, estragón, mostaza, curry y salpimentar. Mezclar el caldo de pollo con aceite y vinagre; condimentar si fuera necesario.

4) Arreglar en una fuente los trozos de pollo con hojas de lechuga. Distribuir sobre las hojas las cerezas previamente mezcladas con la crema de estragón. Cubrir el pollo con el aderezo de caldo y adornar con perejil picado y los croutons.

Ensalada de pato y naranja

Año 1971 en el "Drugstore de la Recoleta".

4 personas
Tiempo de preparación: 10 minutos
Tiempo de cocción: 35 minutos aproximadamente

Ingredientes

1 pato
1 cebollín picado fino
1 tallo de apio en rodajas
Aceite de oliva y vinagre de vino
1 cucharadita de mostaza tipo Dijon
Salsa inglesa
2 naranjas peladas y en gajos (si son coloradas mejor)
6 aceitunas negras sin carozo cortadas en mitades
6 aceitunas verdes sin carozo cortadas en mitades
Sal y pimienta negra recién molida

Preparación

1) Hervir el pato, deshuesar y despellejar.

2) Cortar la carne en cubos y mezclar con todos los demás ingredientes.

3) Preparar el aderezo con tres partes de aceite por cada una de vinagre, mostaza y salsa inglesa.

Jamones de grandes aves (pierna de avestruz)

Fue la entrada de copetín en mi comida del "Fork Club", que acompañó a las cabras salvajes servidas con un fresquísimo y nuevo semillón.

10 personas (mínimo)
Tiempo de preparación: 30 minutos
Tiempo de cocción: 90 minutos

Ingredientes

Pierna del ave (la carne)
150 g de panceta ahumada
1 cebolla grande picada fina
200 g de puerros en juliana
2 cucharadas de cebolla de verdeo bien picada
150 g de hígado de pollo
150 g de crema de leche
3 yemas de huevo
100 g de manteca
1 cucharada de aceite

Condimentos

Bouquet garni
1 cucharada de pimienta Mignonnette negra
1 cucharada de pimienta molida negra
2 copas de cognac
2 copas de vino borgoña tinto

Preparación

1) Levantar la piel y sacar la carne de la pierna; cortarla en cubos de 1 cm de lado.

2) En una cacerola poner aceite y manteca, luego la cebolla y los puerros.

3) Cuando tomen color, agregar la carne, el hígado, la panceta en cubos, la cebolla de verdeo picada, bouquet garni, vino, cognac.

4) Dejar dorar bien y luego pasar todo por un picacarne (disco fino) o una procesadora, dos veces.

5) Agregar la crema, pimienta y 3 yemas de huevo a fin de ligar.

6) Trabajar como una pasta y rellenar la pierna dándole su forma natural.

7) Tapar con la piel y hornear muy suave 60 minutos.

8) Dejar enfriar bien antes de servir.

Ensalada inglesa de roast-beef

Hacía esta ensalada en Londres, en los veranitos entre 1959 y 1962. Luego la traje a "La Chimère". Fue muy resistida, pues a los argentinos las carnes rojas frías no les gustan. Esta ensalada forma parte de mis platos favoritos pues a mí me gusta mucho. Siempre la como con un Merlot bien frío.

4 personas
Tiempo de preparación: 30 minutos
Tiempo de cocción del roast-beef: 20 minutos a horno fuerte

Ingredientes

600 g de roast-beef poco cocido
1 planta joven de lechuga
16 rabanitos, limpios y pelados
2 cebollas picadas finas (blanqueadas)
200 g de chauchas
½ kg de papas nuevas, chiquitas, o bien medianas en dados
1 cucharada de perejil picado
1 cucharada al ras de ciboulette picada
8 tostadas de pan negro sin corteza y enmantecadas
¼ taza de vinagre de estragón
2 cucharadas de mostaza tipo Dijon
1 cucharadita de té, de mostaza Colman's disuelta en vinagre
¼ taza de aceite de maíz
Sal, pimienta negra en grano, recién molida
½ cucharadita de café, de curry Madrás

Preparación

1) Hornear el roast-beef en horno caliente por 20 minutos, retirar, cortar en tajadas finas y éstas en tiras largas.

2) En un bol o ensaladera, cubrir el fondo y las paredes con las hojas de lechuga. Colocar la carne.

3) Cortar en aros la cebolla, agregar al bol junto a los rabanitos y las chauchas. Éstas se habrán salteado apenas en manteca o cocinado apenas en vapor, cortadas en tiritas; tienen que quedar crujien-

tes. Si las papas son nuevas ponerlas enteras, si son grandes cortarlas en cubos; las papas deberán salpicarse con la ciboulette y el perejil.

Preparación del aderezo

Poner en un bol el vinagre de estragón, la mostaza, sal, pimienta, curry; batir bien y agregar el aceite sin dejar de batir.

Acompañar con tostadas de pan negro.

Matambre de cordero con bearnesa

8 personas
Tiempo de preparación: 30 minutos
Tiempo de cocción: 60 minutos

Ingredientes

1 matambre de cordero grande
6 huevos
1 cucharada de postre, de estragón fresco picado
4 blancos de puerros cortados en tiras
1 taza de queso rallado
½ taza de puré de espinacas
2 morrones cortados en tiras
1 zanahoria grande cocida cortada en tiras
1 cucharada de ají molido fino
1 trozo de queso tipo de máquina en tiras de 1 cm de espesor.
4 tiras de panceta ahumada de 1 cm de espesor por 15 cm de largo

Preparación

1) Quitarle al matambre toda la grasa que sea posible; batir los huevos con el estragón, el ají, el queso de rallar y mezclar con la espinaca, el puerro, el morrón y el queso. Extender esto sobre el matambre, agregar el tocino y la zanahoria y arrollar. Atar con hilo y envolver en paño.

2) Cocinar en agua hirviendo durante 60 minutos.

3) Retirar y dejar en prensa durante 24 horas.

Presentación

Para cada plato dos rodajas de 1 cm cada una y ½ tomate sin semillas, relleno con abundante salsa bearnesa.

Matambritos de conejo

4 personas
Tiempo de preparación: 20 minutos
Tiempo de cocción: 20 minutos

Ingredientes

4 matambritos de conejo
8 huevos de codorniz
12 hojas de espinaca blanqueadas
1 morrón de lata
4 fetas de tocino ahumado
1 huevo
Estragón remojado
Sal y pimienta blanca
Hilo de algodón para atar y papel metálico

Guarnición

3 zanahorias, 2 cebollas, 3 blancos de puerros
60 g de manteca
2 vasos de vermouth seco

Preparación

1) Cocinar los huevos de codorniz en agua; cortar el morrón en tiras y también el tocino. Batir el huevo y unir al morrón y al tocino; agregar estragón, sal y pimienta. Extender los matambritos; sobre ellos las hojas de espinacas; agregar la mezcla de huevo, morrón y tocino y colocar a lo largo 2 huevos en cada uno. Arrollar y atar con cuidado.

2) Por último, enmantecar y envolver en papel de aluminio cada matambre y cocinar al horno 20 minutos.

3) Cortar las verduras para la guarnición en cubos y rehogar en manteca. Completar con el vermouth, y dejar evaporar.

4) Servir cada matambre sobre una base de verduras.

Costillas de cabra salvaje

En caso de no conseguir cabra salvaje, también se puede usar cabrito grande, o cabra no salvaje. Generalmente uso cabras salvajes de las sierras de Córdoba. Este plato fue inventado para la comida del "Fork Club" de 1984 y acompañaba a la pierna de avestruz con unas tostadas finas, junto con un vino semillón bien fresco, nuevo, perfumado y servido en botellones.

10 personas (mínimo)
Tiempo de preparación: 90 minutos
Tiempo de marinada: 12 horas
Tiempo de cocción: horno fuerte, 20 minutos por cada 450 g de carne, y 15 finales sin ningún tipo de envoltura.

Ingredientes

1 costillar doble entero de cabra
150 g de grasa de chancho
1 cucharada de pimienta negra molida gruesa
1 cucharadita de café, de coriandro
Sal

Para el relleno 1

150 g de panceta en bastones
1 taza de café, de aceitunas negras en láminas
½ taza de parmesano rallado
Sal y pimienta negra recién molida

Para el relleno 2

½ kg de carne de chancho
150 g de panceta ahumada
2 cebollas bien picadas
50 g de manteca, 1 cucharada de aceite
3 rebanadas de pan lactal remojado en leche
4 yemas de huevo
Sal, pimienta, macis, 4 especias

Marinada de la cabra

Marinada cocida con hierbas frescas de la estación, salvia, albahaca, tomillo, laurel, clavo de olor, bayas de enebro, coriandro y un litro de vino blanco.

Preparación

1) Deshuesar el costillar y guardarlo para la decoración final (previamente horneado por 20 minutos). Colocar los lomos por 12 horas en la marinada. Retirar. (La idea es: en una fuente ovalada colocar el costillar entero, y una vez cocinados los dos lomos, que van con distinto relleno, cortarlos en fetas de ½ cm de ancho y colocarlos cubriendo el costillar. El relleno con aceitunas negras por un lado, y con cebollas y pan por el otro).

2) Tajear los lomos, achatarlos y rellenar uno con el relleno 1 y otro con el 2. Espolvorear con pimienta mignonnette y coriandro. Enrollarlos y cubrir con la grasa de chancho; envolverlos con papel de aluminio. Cocción de 20 minutos por cada 450 g de carne y 15 minutos finales sin papel a fuego vivo.

Luego cortarlos en rebanadas de ½ cm de ancho. Servirlos fríos con tostadas no muy finas y parejas. Tienen que quedar muy tiernos. Son deliciosos con el semillón.

3) Tanto en el relleno 1 como en el 2 se mezclan los ingredientes y se cocinan ligeramente antes de utilizarlos.

Pasta de trucha ahumada (especie de brandade)

"La Chimère", 1970.

4 personas
Tiempo de preparación: 15 minutos

Ingredientes

4 truchas ahumadas (sólo la carne)
6 cucharadas de crema batida
Pimienta de Cayena
Sal y pimienta negra recién molida
3 cucharadas de aceite de oliva
Jugo de 1 limón
3 cucharadas de perejil picado
16 tostadas de forma triangular

Preparación

1) En un mortero poner la carne de las truchas. Agregar la crema y el aceite, y preparar una pasta muy suave.

2) Sazonar con Cayena, sal, pimienta negra recién molida y limón y dejar en la heladera hasta enfriar bien.

3) Al servir espolvorear con perejil y acompañar con las tostadas calientes.

Paté de trucha ahumada

10 personas
Tiempo de preparación: 15 minutos
Tiempo de cocción: 8 minutos

Ingredientes

6 truchas ahumadas sin espinas ni cola ni cabeza
50 g de manteca
2 blancos de puerros
1 cebolla chica
2 tazas de crema
1 cucharadita de té, de mostaza inglesa en polvo
2 huevos
Sal
Pimienta negra recién molida

Preparación

1) Pasar las truchas por un tamiz.

2) Batir la crema y los huevos; juntar todo en un bol y agregar mostaza, sal y pimienta negra recién molida.

3) Picar la cebolla y los puerros. Rehogar en manteca, juntar con el resto y pasar por un procesador fino.

4) Moldear y colocar en la heladera.

Paté de lenguado

12 personas
Tiempo de preparación: 12 minutos
Tiempo de cocción: 30 minutos

Ingredientes

1,800 kg de filetes de lenguado
2 puerros (blanco solamente)
1 cebolla grande
150 g de manteca
Eneldo fresco
6 fetas de pan lactal (remojado en leche)
Sal a gusto
2 cucharadas soperas de curry
2 cucharadas soperas de salsa inglesa
5 huevos
1 taza de jalea de gelatina sin sabor

Preparación

1) Picar la cebolla y el puerro, rehogar en manteca. Picar el lenguado, agregar la sal, eneldo, curry, salsa inglesa; añadir a la cebolla, dejar cocinar 10 minutos e incorporar el pan exprimido y deshecho. Revolver.

2) Pasar todo por picadora de disco fino. Agregar los 5 huevos batidos y la jalea. Mezclar todo bien y verificar la condimentación. Colocar en molde enmantecado de unos 30 cm de largo.

3) Tapar con papel de aluminio y cocinar a bañomaría en horno durante 30 minutos a fuego moderado.

Presentación

Para cada plato, 2 fetas de 1 cm cada una. En el fondo del plato, crema batida con jugo de remolacha y queso rallado, tibia, y 5 tostadas pequeñas de pan negro.

Paté de mejillones

12 personas
Tiempo de preparación: 15 minutos
Tiempo de cocción: 35 minutos

Ingredientes

300 g de mejillones
5 zapallitos largos
1 cebolla picada
2 puerros
4 huevos
150 cm^3 de crema de leche
2 cucharadas de manteca
Estragón, eneldo, pimienta de Cayena
Salsa de soja

Preparación

1) Picar bien chiquitos el puerro y la cebolla y rehogar en manteca. Agregar estragón, soja, eneldo, pimienta de Cayena.

2) Incorporar los mejillones y dejar cocinar 8 minutos.

3) Rallar aparte los zapallitos, pasarlos por agua fría y escurrirlos en colador fino, sacándoles bien el agua. Pasar por la picadora en disco fino la preparación anterior, junto con el zapallito rallado. Agregar las 4 yemas, la crema algo batida y las claras montadas a nieve.

4) Colocar todo en un molde rectangular de 30 cm aproximadamente de largo por 8 cm de profundidad y cocinar en horno y a bañomaría a fuego medio durante 35 minutos con el molde tapado con papel manteca.

Presentación

Para cada plato, dos fetas de 1 cm cada una, sobre salsa de crema de berros y mayonesa y tostadas calientes.

Paté de centolla

4 personas
Tiempo de preparación: 10 minutos
Tiempo de cocción: 30 minutos

Ingredientes

200 g de carne de centolla
1 taza de vino blanco seco
50 g de manteca
1 taza de crema de leche
½ cucharada de gelatina sin sabor
½ cucharadita de café, de colorante colorado
¼ taza de perejil picado
Sal, pimienta negra recién molida
½ cucharadita de café, de tomillo
½ cucharadita de café, de estragón picado
Hojas de corazón de lechuga

Preparación

1) Poner en una cacerola chica manteca, centolla, sal, pimienta, estragón, perejil, tomillo, colorante, gelatina sin sabor y vino. Dejar reducir a buen fuego durante 15 minutos. Retirar.

2) Agregar ½ taza de crema de leche, revolver y licuar, agregando de a poco la crema restante. Volver a licuar. Una vez terminada quedará una pasta muy fina.

3) Enmantecar un molde y llenarlo con la pasta. Llevar al frío por 12 horas.

4) Para desmoldar pasar por agua tibia 30 segundos, y decorar con tostadas bien calientes y las hojas de corazón de lechuga.

Terrina de hígados de ave

4 personas
Tiempo de preparación: 15 minutos
Tiempo de cocción: 40 minutos
Tiempo de marinada: 12 horas

Ingredientes

250 g de hígados de ave limpios
150 g de manteca
50 g de panceta ahumada
50 g de dados de jamón crudo
4 hojas de laurel, 2 copas de vino tinto
½ copa de oporto, ½ copa de cognac
Tomillo, pimienta negra, curry
1 cucharadita de té, de mostaza Dijon
1 cucharadita de café, de mostaza Colman's
1 cucharadita de té, de salsa inglesa
2 yemas de huevo, 50 g de crema de leche

Marinada de los hígados

1 copa de cognac, 3 hojas de laurel
1 cucharadita de té, de tomillo
Marinar por la noche en la heladera

Preparación

1) Hacer un fondo con el jamón, la panceta, 50 g de manteca y laurel, a fuego suave.

2) Agregar al fondo los hígados marinados, vino tinto, oporto, cognac. Llevar a hervor.

3) Echar tomillo, pimienta negra, curry, mostazas, salsa inglesa.

4) Licuar y enfriar. Agregar las dos yemas, crema batida y el resto de la manteca. Rectificar la sal. Servir con tostadas de brioches.

Terrina de pato salvaje en otoño

La imaginé para unas conferencias que di para el Diners Club a principios del '84. Tuvo un éxito terrible. Luego la serví como primer plato en mi comida en el "Fork Club", también en el '84 y continúa su éxito.

4 personas
Tiempo de preparación: 2 horas
Tiempo de cocción: 1 hora

Ingredientes

3 patos salvajes
50 g de manteca
2 cucharadas de hierbas frescas bien picadas
1 copa de vinagre de vino
1 taza de mermelada de naranja
5 copitas de cointreau
Gelatina sin sabor
2 copas de jugo de naranja
1 cucharada de salsa de soja
1 naranja sin pelar
2 naranjas peladas, en gajos
Sal y pimienta
50 g de azúcar

Preparación

1) Limpiar bien el pato, salpimentar, untar con manteca, colocar una naranja con cáscara, cortada en cuartos en su interior, y hornear, mojándolo con una copa de jugo de naranja y 3 copitas de cointreau.

2) Cuando termina la cocción deshuesar con cuidado, cortar la carne en juliana, mojar con otra copita de cointreau, una cucharada de salsa de soja y el vinagre, dar un hervor y dejar entibiar.

3) Aparte preparar una juliana muy pareja con la cáscara de una naranja sin nada del blanco, previamente blanqueada. Luego colocarla con la mermelada, el resto del cointreau y el jugo de naranja, azúcar y hierbas y dejar cocer 10 minutos. Colar, escurrir bien y reservar.

4) En terrinas individuales o bien en un molde grande, ir colocando capas de pato con su jugo de cocción y de mermelada aún caliente, hasta terminar, reservando algo de la juliana de naranja, escurrida, para decorar. Finalmente cubrir con gelatina sin sabor (o bien perfumada con jugo de naranja), que se deja escurrir por entre las capas anteriores.

5) Enfriar y servir sobre un fondo de hojas secas de otoño, decorado con la juliana de cáscaras de naranja y gajos de naranja sin piel.

El magnífico Carpaccio

4 personas
Tiempo de preparación: 10 minutos

Ingredientes

600 g de lomo limpio y congelado
250 g de gruyère cortado en láminas chicas y finas
4 cucharadas de alcaparras
1 cucharada de perejil picado
3 cucharadas de aceite de maíz
2 cucharadas de aceite de oliva
2 cucharadas de jugo de limón
2 cucharadas de salsa de soja

Preparación

1) Dejar congelar el lomo hasta que esté casi totalmente duro y luego en máquina de cortar fiambre o con un cuchillo muy afilado y buena mano, cortar láminas de 2 mm de espesor.

2) Distribuirlas en cada plato de forma tal que formen una gran flor roja. Rociar con dos cucharadas de aderezo (aceites, limón y soja mezclados) y colocar en el centro el queso. Distribuir las alcaparras sobre la carne y espolvorear con el perejil.

Entradas tibias

Timbal de verduras en colores

4 personas
Tiempo de preparación: 30 minutos
Tiempo de cocción: 40 minutos

Ingredientes (para 8 timbales)

4 zanahorias hervidas y licuadas
6 remolachas hervidas y licuadas
2 tazas de espinacas hervidas, escurridas y licuadas
3 huevos mezclado cada uno con cada verdura
Sal, pimienta negra recién molida, macis
Hojas de espinaca y lechuga
3 tomates pelados y sin semillas
1 cucharada de extracto de tomate, sal y pimienta blanca
2 cucharadas de vinagre de vino
2 cucharadas de aceite de oliva
½ cucharada de perejil picado fino
1 copa de vinagre de estragón

Preparación y cocción

1) Ir armando por capas, en moldes individuales, un timbal de verduras.

2) Cocinar en bañomaría. Reservar en la heladera.

3) *Para la salsa:* a) Pasar los tomates por agua hirviendo para despellejarlos, sacarles las semillas. Extraer la parte dura del centro; b) Licuar los tomates con el extracto.

4) Al servir, agregar vinagre, aceite de a poco, batiendo constantemente, salpimentar, añadir vinagre de estragón y perejil.

Colocar la salsa colorada sobre el plato, hacer un colchón en juliana con la lechuga y la espinaca; sobre este colchón desmontar los timbales. Conviene armar los timbales así: primero espinacas, luego remolachas y por último zanahorias. De esa manera al desmoldar quedará la zanahoria en la base.

Endibias rellenas y caracoles

Esta receta fue experimentada y resuelta junto al chef Carlos Gallardo, por pedido de Norberto Vinelli para su comida en el "Fork Club" del mes de julio de 1985. Los caracoles fueron provistos por Nicolás Knoll. En Buenos Aires no había y Nico los trajo de Fauchon.

4 personas
Tiempo de preparación: 20 minutos
Tiempo de cocción: 40 minutos

Ingredientes

8 endibias grandes y largas
3 cubos de caldo de carne
2 copas de marsala, 1/2 taza de azúcar
1 taza de agua
2 litros de agua
6 nueces peladas y picadas
6 caracoles supergrandes de Borgoña

Preparación

1) Cocinar las endibias en dos litros de agua.

2) Mientras tanto, en una sartén profunda echar marsala, 1/2 taza de agua, azúcar y los cubitos de caldo. Dejar cocinar hasta que tome un color brillante.

3) Retirar las endibias, escurrirlas y glasearlas 7 minutos.

4) Picar bien 4 nueces (reservar dos). Cortar los caracoles en 4.

5) Sacar las hojas exteriores de las endibias. Cortar en cubitos de 1/2 cm de lado el centro de las endibias. Mezclar las nueces, los caracoles y las endibias con una cucharada de manteca.

6) Forrar terrinas individuales o cocoteros con las hojas largas de las endibias (las puntas hacia el centro). Rellenar y cerrar (como un paquete) con las puntas de las endibias. Antes de servir, calentar por 3 minutos y desmoldar. Decorar con media nuez sobre cada paquetito.

Quiche tibia con vieiras

4 personas
Tiempo de preparación: 15 minutos
Tiempo de cocción: 20 minutos

Ingredientes

150 g de vieiras recortadas pero con el coral
10 huevos
1 taza de crema
1 cucharada de mostaza tipo Dijon
Sal, pimienta, curry
1 cucharada de polvo de hornear
1 copita de vino blanco
50 g de manteca
1 cucharada de romero picado fresco
Perejil

Masa

200 g de harina
70 g de manteca
1 cucharada sopera de agua fría
Sal

Preparación de la masa

1) Juntar los ingredientes. Mezclar bien. Amasar haciéndole tres pliegues. Dejar reposar 1 hora.

2) Estirar la masa y forrar una tartera redonda, ajustando en los bordes y cortando el excedente.

3) Colocar garbanzos o lentejas para que la masa no se infle. Llevar a horno fuerte 10 minutos.

Preparación del relleno

1) Calentar el horno al máximo.

2) Saltear las vieiras con manteca y romero.

3) En un bol batir los huevos con crema, sal, curry, pimienta, vino blanco, polvo de hornear, mostaza tipo Dijon; luego agregar las vieiras.

Preparación final

1) En una tartera disponer la masa tal como queda dicho, y rellenar con los huevos y vieiras.

2) Cocinar hasta que levante y esté la masa cocida.

3) Servir tibia decorando con ramos de perejil. El relleno debe quedar esponjoso y cremoso a la vez.

Variación de las hojas de endibias y las patas de centolla (con medallones de sesos)

4 personas
Tiempo de preparación: 20 minutos
Tiempo de cocción: 20 minutos

Ingredientes

20 buenas patas de centolla (la carne solamente)
20 hojas del corazón de las endibias
100 g de manteca, 20 medallones de sesos
1 cucharada de estragón picado fino
Pimienta negra en grano recién molida
Jugo de dos limones, 4 cucharadas de aceite de oliva
1 cucharada de vinagre de eneldo o de estragón
1 cucharadita de té, de mostaza tipo Dijon

Preparación

1) Lavar y cortar los sesos en medallones de 5 mm de altura cada uno. Saltearlos con manteca y estragón picado cuidando que no queden muy dorados.

2) En otra sartén, saltear las patas de centolla de igual manera.

3) Mientras tanto, se van colocando las hojas de endibias bien lavadas y parejas en forma de rayos de sol (secarlas bien).

4) Hacer una mezcla con la mostaza, el vinagre, el jugo de limón y el aceite de oliva y pintar cada una de las hojas. Sobre estas hojas, colocar las patas de centolla espolvoreadas con pimienta. Intercalar una hoja con centolla y un medallón de seso, napando los sesos con el resto de la manteca con estragón picado.

5) Este plato deberá servirse de esta manera: las hojas de endibias frías y naturales, mojadas con su aderezo, las patas de centolla y los sesos calientes.

Entradas calientes

Consommé con queso

4 personas
Tiempo de preparación: 5 minutos
Tiempo de cocción: 10 minutos

Ingredientes

1 ½ litro de consommé de ave
5 cucharadas de parmesano rallado (fresco)
5 cucharadas de gruyère rallado (fresco)
4 huevos
Sal y pimienta negra recién molida
100 g de crema

Preparación

1) En un bol poner el caldo muy caliente. Colocarlo sobre un fuego.

2) Agregar los quesos rallados, los huevos, sal y pimienta negra recién molida batiendo muy fuerte.

3) Incorporar la crema y seguir batiendo hasta que salga espuma. Servir en tazones precalentados.

Caldo fuerte, quenelles de faisán y oporto

4 personas
Tiempo de preparación: 45 minutos
Tiempo de cocción: 4 horas

Ingredientes

1 faisán chico (900 g aprox.)
2 zanahorias
2 cebollas asadas en mitades.
Ramos de perejil
2 morrones
Albahaca
Carne de las 2 pechugas del faisán
½ taza de crema
2 huevos
Mejorana
Sal y pimienta negra

Preparación

1) En una cacerola hervir el faisán; guardar el agua; deshuesar el ave. Hornear los huesos. Reservar la carne de las pechugas para las quenelles. Hornear las patas hasta que tomen color junto a los huesos.

2) Hacer un caldo usando el agua donde fue hervido el faisán con: los huesos, la carne de las patas, zanahorias, 4 medias cebollas tostadas, morrones, perejil y albahaca. Hervir por 3 horas. Luego pasar y apretar bien los huesos y la carne por un colador chino.

3) *Para las quenelles:* Pasar la carne de las pechugas por un picacarne (disco fino) y hacer una pasta con crema, huevos, mejorana, sal y pimienta. Colocar todo en un bol sobre hielo, batiendo con una espátula siempre de abajo hacia arriba. Luego moldear del tamaño de los huevos de codorniz y cocinar en el caldo suavemente. Servir de inmediado. Propongo para acompañar estas delicias un bueno y viejo oporto.

Sopa de cebolla fuerte de "La Chimère"

4 personas
Tiempo de preparación: 10 minutos
Tiempo de cocción: 40 minutos

Ingredientes

2 litros de caldo
200 g de cebollas de tamaño parejo
100 g de manteca
1 cucharada de harina
100 g de queso gruyère
2 copas de cognac
Rebanadas muy finas de pan tostado
Sal, pimienta negra recién molida

Preparación

1) Pelar las cebollas y cortarlas en rodajas finas; cocinarlas en la manteca a fuego suave durante 10 minutos, revolviéndolas con una cuchara de madera.

2) Cuando la cebolla se vea traslúcida, espolvorearla con una cucharada sopera de harina, dorando otros 5 minutos sin cesar de revolver. Agregar 2 litros de caldo, salpimentar y, por último, las copas de cognac; cocinar otros 15 minutos.

3) Cortar el queso gruyère en láminas muy finas.

4) Poner la sopa en un recipiente para horno, cubrir con una capa de pan tostado, otra capa de queso, pimentar y distribuir unos daditos de manteca.

5) Gratinar en el horno hasta que tome un color dorado.

Sopa de limón

4 personas
Tiempo de preparación: 20 minutos
Tiempo de cocción: 30 minutos

Ingredientes

50 g de manteca
50 g de harina
7 tazas de agua
Jugo de 3 limones grandes y su cáscara rallada
3 yemas de huevo
70 g de azúcar
100 g de crema de leche batida

Preparación

1) En una cacerola derretir la manteca a fuego muy lento, incorporar la harina. Una vez bien cocida agregar el agua muy lentamente y sin dejar de revolver, para evitar grumos.

2) Agregar la ralladura de limón y hervir durante 10 minutos.

3) Mientras tanto, batir las yemas con el azúcar hasta que blanqueen, agregar el jugo de limón y seguir batiendo.

4) Mezclar y cocinar a fuego lento, para que no se corten las yemas.

5) Servir con crema batida y croutons fritos.

Sopa de liebre de Santa María

Esta sopa la hice por primera vez en un campo (Santa María) de mi amigo Pipo Peralta Ramos hace unos 17 años. También estaba allí Alberto Lata Liste, quien había cazado las liebres.

4 personas
Tiempo de preparación: 30 minutos
Tiempo de cocción: 4 horas

Ingredientes

600 g de carne de liebre cortada en dados
100 g de menudos de liebre
150 g de panceta cortada en dados
80 g de manteca
1 cebolla picada fina, 1 diente de ajo picado fino
12 g de pimienta negra recién molida
10 tazas de caldo, 1/4 taza de harina, 2 copas de oporto
1 cucharadita de té, de curry Madrás, 1 bouquet garni, sal
2 cucharadas de vinagre de estragón

Preparación

1) Calentar en una cacerola la mitad de la manteca, agregar la panceta, los menudos y la liebre; freír hasta que tome buen color.

2) Agregar cebolla, ajo, pimienta, bouquet garni, curry, vinagre de estragón y finalmente caldo.

3) Cuando comience el hervor bajar el fuego y cocinar durante 3 horas, desgrasando continuamente.

4) Colar. Calentar la manteca restante en otra cacerola, agregar harina y hacer un roux.

5) Verter el caldo colado, revolver hasta que empiece a hervir, añadir oporto y sal y cocinar a fuego lento 20 minutos; sacar del colador los pedazos de liebre y agregarlos al caldo.

6) Servir muy caliente, con croutons fritos. Creo que un buen vino es un Merlot enfriado en heladera.

Sopa de cebollas y champagne

4 personas
Tiempo de preparación: 30 minutos
Tiempo de cocción: 30 minutos

Ingredientes

2 cebollas
30 g de manteca
4 hojas de laurel
1 botella de champagne seco
½ camembert chico
4 yemas
½ copa de oporto
½ copa de rhum
15 nueces picadas
Sal, pimienta negra recién molida
1 pizca de curry mild
1 pizca de cardamomo
Croutons

Preparación

1) Saltear en manteca las cebollas cortadas en aros finitos.

2) Pasar todo a una cacerola con un litro de agua caliente, sal, pimienta y laurel.

3) Añadir el champagne, hervir suave y agregar el queso, remover con la cuchara de madera.

4) Batir las yemas con el oporto y echar en la sopa, luego añadir el rhum, el curry y el cardamomo.

5) Freír croutons y agregar junto con las nueces.

Sopa de ostras y crema

São Paulo, "Clark's", 1978. Esta sopa se hacía mucho en São Paulo durante el invierno, que es bastante frío. Es un excelente *starter* sobre todo acompañándola con un buen Chablis.

Observaciones: Las ostras son ideales, pero se pueden reemplazar con almejas, mejillones o vieiras. Si no tienen su líquido o ya vienen descascadas, hervir un espinazo con una cabeza de pescado, apio y zanahorias con bastante sal por 60 minutos. Recuperar una taza de este líquido e incorporarlo a la cacerola con las ostras. El total del líquido en ningún caso debe sobrepasar una taza de té.

4 personas
Tiempo de preparación: 10 minutos
Tiempo de cocción: 20 minutos

Ingredientes

¼ kg de ostras descascadas
4 cucharadas soperas de manteca
¼ litro de leche caliente, ¼ litro de crema caliente
2 hojas de laurel
1 cucharada de salsa de soja
1 cucharadita de té, de paprika
1 cucharadita de té, de un curry fuerte y perfumado
1 copa de jerez
1 taza de té, de caldo de pescado, en caso que no se llegue a una taza de té con el líquido de las conchas
1 cucharada sopera, de perejil recién picado
Nuez moscada, sal y pimienta

Preparación

1) En una cacerola de fondo doble, poner las ostras, la taza de líquido o caldo, 2 hojas de laurel, manteca, salsa de soja y cocinar a fuego liviano por 5 minutos.

2) Retirar las hojas de laurel.

3) Agregar leche y crema previamente calentada, junto con el curry y la paprika. Seguir con el fuego liviano.

4) Agregar 1 copa de jerez y sazonar con sal. Seguir cocinando por unos minutos hasta completar los 20.

5) Servir muy caliente en bols o platos soperos, pimentar y agregar la nuez moscada y una cucharada sopera de perejil recién picado.

Sopa de espinaca fresca

4 personas
Tiempo de preparación: 15 minutos
Tiempo de cocción: 15 minutos

Ingredientes

1 kg de hojas de espinaca fresca
5 cucharadas de manteca
Sal y pimienta negra recién molida
3 dl de crema espesa
3 dl de caldo de ave

Preparación

1) Lavar las hojas de espinaca cambiando el agua varias veces; escurrir bien.

2) Poner la espinaca en una cacerola con doble fondo, con manteca y calentar a fuego lento, revolviendo continuamente hasta que esté tierna.

3) Licuar y salpimentar.

4) Agregar la crema y el caldo de ave y calentar. Servir inmediatamente.

Sopa de codorniz y hojaldre

4 personas
Tiempo de preparación: 30 minutos
Tiempo de cocción: 4 horas

Ingredientes

8 codornices deshuesadas y cortadas en mitades
1 litro de caldo doble
Gotas de Tabasco, sal, pimienta
1 copa de jerez, 3 yemas de huevo
4 tapas de hojaldre

Para el caldo doble

1 kg de carne cortada en cubos
1 kg de huesos tostados en el horno
2 cebollas tostadas en mitades
2 zanahorias, 5 ramas de apio, 3 hojas de laurel
3 clavos de olor, sal, pimienta
2 cucharadas de salsa de soja, 1 copa de cognac

Preparación del caldo

Hervir todo por 3 horas con 2½ litros de agua. Luego pasar por un colador chino. Si no quedó fuerte y oscuro agregar un poco más de cognac y hervir por 30 minutos más. En la última media hora de cocción agregar las 8 codornices.

Preparación y cocción final

Colocar 2 mitades de codorniz en cada una de las cazuelas individuales. Cubrir con el caldo, 2 gotas de Tabasco por cazuela, jerez y tapar con la masa. Pintar con las yemas previamente batidas. Hornear. Por el calor, la masa deberá hincharse como la cabeza de un hongo.

Crema con mejillones

4 personas
Tiempo de preparación: 15 minutos
Tiempo de cocción:30 minutos

Ingredientes

2 kg de mejillones con cáscara y sin arena
100 g de manteca
2 cucharadas de harina
1 taza de crema de leche
1 cápsula de azafrán
2 copas de vino blanco seco
1 cebolla picada
Pimienta negra recién molida
24 croutons fritos
1 cucharada de perejil picado fino

Preparación

1) Lavar y limpiar bien los mejillones. Cocinarlos con la mitad de la manteca, el azafrán, la pimienta, el vino blanco y la cebolla. Una vez abiertos retirar la cáscara y pasar el caldo de cocción por un lienzo.

2) Derretir el resto de la manteca y agregar la harina y el caldo. Calentar los mejillones en ese caldo y agregar la crema de leche, los croutons y el perejil al servir.

Crema de cebollas con mariscos

4 personas
Tiempo de preparación: 15 minutos
Tiempo de cocción: 15 minutos

Ingredientes

2 cebollas picadas
¼ litro de crema
8 langostinos
4 vieiras
4 patas de centolla
4 mejillones
4 almejas
50 g de cabezas de champiñones frescos
30 g de manteca
20 g de perejil picado y licuado
30 g de berros picados y licuados
40 croutons fritos
1 cucharadita de curry fuerte
Pimienta, sal, mostaza Colman's

Preparación

1) Saltear con 20 g de manteca los mariscos y champiñones y condimentar. Mientras tanto, en una cacerola se dora la cebolla con la manteca restante.

2) Licuar el perejil y el berro con poca agua y agregarlo a la crema.

3) Agregar a la cebolla dorada, la crema compuesta y los mariscos.

4) Servir bien caliente con los croutons por encima.

Champiñones de Homero

Éstos champiñones son de "La Chimère". Los primeros *farci* de toda la tanda copista. En ese momento eran únicos. Ojo: siguen siendo únicos pues son los mejores. Todavía las copias no han conseguido superarlos. Sufrieron muchos cambios, sobre todo en el relleno, pero quedaron en éste, que creo es el más fácil y rico.

4 personas
Tiempo de preparación: 30 minutos
Tiempo de cocción: 20 minutos
Salsa tomatada: 10 minutos

Ingredientes

28 cabezas grandes de champiñones
1 copa de vino blanco
2 hojas de laurel
2 cucharadas de ciboulette (o cebolla de verdeo picada muy fina)
2 cucharadas de perejil picado muy fino
150 g de pan o galleta rallada
160 g de manteca
40 g de jamón cocido molido
1 taza de queso gruyère rallado
4 huevos
1 limón

Salsa tomatada

3 tomates frescos sin piel ni semillas
200 g de crema
Sal y pimienta
½ copa de vino blanco seco
1 cucharada de extracto de tomates
1 cucharadita de té, de mostaza tipo Dijon
Licuar y cocinar por 5 minutos
Pasar todo por tamiz muy fino

Preparación

En una cacerola a ¾ tapada y con el limón cortado en cuartos y el laurel, llevar las cabezas de champiñones a un hervor. Retirar y dejar enfriar rociados con vino blanco y algo de manteca diluida en el vino.

Relleno

En una sartén o cacerola baja poner a fuego muy suave dos cucharadas de manteca, la ciboulette o cebolla de verdeo, 8 tallos de los hongos, jamón, perejil picado. Agregar el resto de la manteca, pan rallado, ½ taza de queso rallado. Retirar del fuego y agregar los huevos y mezclar bien. Pasar todo por tamiz grueso, volver a mezclar bien y rellenar parejo y prolijamente las cabezas de los hongos.

En fuentes individuales o una fuente grande para hornear verter toda la salsa tomatada. Colocar los champiñones sobre la salsa con el relleno para arriba, espolvorear con queso sobre cada cabeza y gratinar a fuego medio. Servir con tostadas cortadas en triángulos y algo de crema natural mezclada con salsa tomatada. Espolvorear con perejil.

Champiñones rellenos de centolla de la Bella Yvonne

Estos champiñones son del año 1976 y un homenaje a Yvonne Greene. Se presentaron por primera vez en "Clark's" de la Recoleta en el año 1977.

4 personas
Tiempo de preparación: 25 minutos
Tiempo de cocción: 30 minutos

Ingredientes

28 cabezas grandes de champiñones
250 g de centolla fresca o en lata
6 cucharadas de crema, 3 huevos, curry o cardamomo
1 taza de ciboulette picada muy fina
8 huevos
150 g de manteca
¼ cucharadita de café, de eneldo (si es posible fresco)
1 copa de vino blanco seco
1 cucharadita de café, de paprika
Reservar 8 tallos de champiñones

Preparación

1) Cocinar los hongos en vino blanco, separar los tallos de las cabezas y escurrirlos.

2) Hacer un relleno grueso con la ciboulette, 1 cucharada de manteca, centolla, eneldo, paprika. Calentar en una sartén y echar el resto de la manteca. Añadir 8 tallos de champiñones, picados muy finos. Retirar del fuego y agregar los huevos, pasar todo por un disco fino o por un procesador y comprobar el condimento. Rellenar las cabezas de los champiñones y hornear por unos minutos hasta que se calienten.

3) Hacer una mezcla con la crema y los 3 huevos, sal, pimienta negra en grano recién molida y curry o cardamomo a gusto. Napar todas las cabezas con esta mezcla y volver a horno por unos minutos. Al servir espolvorear con perejil picado.

Brochette de champiñones

"Drugstore de la Recoleta", 1972.

Son necesarios champiñones grandes, muy grandes. Lo ideal es ir a buscarlos a Pilar, donde están los principales criaderos, y pedir que separen los más grandes. Seguramente esto complicará esta receta, pero es lo ideal. En caso de ir a una verdulería se pedirá al patrón que separe los más grandes. Recomiendo calentar bien el plato pues se enfrían muy rápido.

Observaciones: Existe un cuchillito con hoja curva y muy filosa, especial para tallar cabezas de champiñones. Las cabezas quedan como un turbante turco acanalado.

Puede decorarse la fuente o el plato con hojas grandes de lechuga fresca sobre las cuales se colocarán las tostadas y brochettes.

4 personas
Tiempo de preparación: 15 minutos
Tiempo de cocción: 10 minutos

Ingredientes

20 cabezas grandes de champiñones (sin tallos)
8 fetas muy finas de panceta bien carnosa
4 zócalos de pan frito
El correspondiente aceite para freírlos
2 cucharadas de aceite de oliva
2 cucharadas de sopa, de mostaza tipo Dijon
1 cucharadita de té, de estragón fresco picado
1 cucharadita de té, de salvia bien picada; si es posible, fresca
1 copa de vino blanco seco
Gotas de Tabasco
½ copa de jugo de limón
1 cucharadita de té, de pimienta negra recién molida
1 cucharada sopera al ras de perejil bien picado

Preparación

1) Hacer una mezcla con aceite, mostaza, vino blanco, estragón, salvia, sal.

2) Con las 8 fetas de panceta arrollar 8 cabezas. Luego ensartarlas en las brochettes de esta manera: primero una cabeza sola, luego una con panceta, después una sin panceta y así hasta que sean 5 por brochette.

3) Pintar con la salsa las cabezas, cocinar en un grill por 10 minutos o en sartén por 6 minutos. Pintar varias veces durante la cocción.

4) Freír los zócalos de pan (15 cm x 5 cm x 1 cm de altura).

5) Colocar sobre éstos las brochettes bien calientes. Al servir espolvorear con pimienta negra recién molida, perejil picado, jugo de limón y una gota de Tabasco por cabeza de champiñón.

Delicias de berenjenas gratinadas

4 personas
Tiempo de preparación: 120 minutos
Tiempo de cocción: 20 minutos

Ingredientes

6 berenjenas medianas cortadas en tiras
Sal gruesa
50 g de manteca
1 copa de vino Chablis
4 tajadas de jamón cocido
100 g de champiñones en juliana
1 taza de jamón, champiñones y cebolla
120 g de queso fresco en fetas
Pimienta negra recién molida

Preparación

1) Cocinar en una cacerola de doble fondo con manteca los champiñones, cebolla rallada fina y jamón picado. Hacer una pasta y reservar.

2) En una bandeja colocar las berenjenas en tiras cubiertas de sal gruesa por 90 minutos, para sacarles el sabor amargo. Luego pasar por agua fría, escurrirlas y colocar en una terrina enmantecada cubiertas por la pasta de jamón, champiñones y cebolla, que se habrá mezclado con el vino Chablis. Sobre todo esto el jamón y los champiñones salteados y luego el queso y pimienta negra recién molida. Gratinar.

3) Hornear por 15 minutos.

Alcauciles rellenos y huevos de codorniz

"La Chimère", menú del año 1969.

4 personas
Tiempo de preparación: 10 minutos
Tiempo de cocción: 15 minutos

Ingredientes

8 alcauciles medianos tiernos
8 colas de langostinos pelados
8 cabezas de champiñones fileteados
100 g de crema
Sal y pimienta negra recién molida
Pimienta de Cayena
1 cucharadita de té, de mostaza en polvo
1 cucharadita de té, de mostaza tipo Dijon
½ cucharada de sopa, de eneldo fresco picado grueso
16 huevos de codorniz, cocidos

Preparación

1) Cocinar los alcauciles, sacarles el corazón (vaciarlos). Guardar.

2) Saltear los langostinos (fileteados) y los champiñones. Agregar el eneldo, mostazas, sal, pimienta negra recién molida, Cayena y la carne del corazón de los alcauciles. Procurar que no se haga una pasta y que los componentes no se peguen.

3) Rellenar los alcauciles con este compuesto.

4) Colocar dos huevos de codorniz por alcaucil, napar con crema, llevar al horno y gratinar.

Servir con vino rosado no muy seco.

Crêpes de ricota y tomates

4 personas
Tiempo de preparación: 20 minutos.
Tiempo de cocción: 20 minutos de horno caliente

Ingredientes

4 crêpes tradicionales
2 yemas
Curry
350 g de ricota
100 g de jamón
½ cebolla cocida y picada
½ taza de crema
2 copas de champagne
3 tomates pelados y machacados
½ cucharada de estragón picado
½ taza de gruyère picado
½ cucharadita de café, de cardamomo

Preparación

1) A las crêpes tradicionales se les agrega el curry y 2 yemas de huevo. Hacer las crêpes un poco más gruesas de lo normal.

2) Hacer una pasta con ricota, cebolla muy bien picada, jamón, cardamomo, 1 copa de champagne y ¼ de taza de crema. Rellenar las crêpes.

3) Hacer una salsa con los tomates, el resto de la crema, estragón y la otra copa de champagne.

4) Colocar las crêpes abundantemente rellenas en una fuente para horno. Cubrirlas con la salsa y espolvorear por encima con gruyère. Gratinar y servir bien caliente.

Un vino blanco perfumado es ideal para estas crêpes.

Crêpes tricolores

4 personas
Tiempo de preparación: 60 minutos
Tiempo de cocción: 40 minutos

Ingredientes

400 g de harina
5 huevos
1 taza de agua
Sal
Pimienta blanca
3 cucharadas de puré de espinacas
3 cucharadas de puré de remolachas
2 cucharadas de curry
100 g de panceta ahumada
150 g de carne de pollo en cubitos
100 g de champiñones en fetas
50 g de manteca
3 copas de champagne
1 cucharada de postre, de curry Madrás
Pimienta negra recién molida
½ cebolla picada y rehogada
1 taza de crema
3 cucharadas de roux blanco
½ taza de gruyère rallado

Preparación

1) Dividir la masa preparada con harina, huevos, agua, sal y pimienta en 3 partes iguales. A una agregarle la espinaca, a la otra parte el puré de remolacha y a la tercera el curry, y hacer 8 crêpes de cada color.

2) Cortar las crêpes como si fueran tallarines. Reservar húmedos.

3) En una sartén rehogar la panceta y los cubitos de pollo con 50 g de manteca. A último momento agregar los champiñones.

4) Hacer una mezcla con champagne, curry, sal y pimienta, cebolla rehogada, crema y agregar todo al roux blanco en una cacerola. Cuando tome una consistencia cremosa, agregar panceta, pollo y champiñones por un lado, y las crêpes cortadas en tiritas por el otro, mezclar bien y disponer en 4 cazuelas de barro o cerámica individuales.

Espolvorear con el queso y llevar al horno para gratinar.

Huevos y vieiras

4 personas
Tiempo de preparación: 10 minutos
Tiempo de cocción: 15 minutos

Ingredientes

400 g de vieiras limpias y recortadas
3 hojas de laurel
4 huevos
8 cabezas grandes de champiñones en juliana
2 cucharaditas de té, de curry mild
2 clavos de olor
½ cucharada de estragón fresco picado
½ cucharada de eneldo fresco picado
½ cucharada de ciboulette fresca picada
100 g de crema
2 copas de vino blanco
1 cebolla picada muy fina

Preparación

1) Rehogar la cebolla hasta que tome color dorado. Saltear las vieiras en esa cebolla con las hojas de laurel, curry, clavos, hierbas y vino blanco. A último momento agregar los champiñones. Retirar los clavos y el laurel.

2) Llenar 4 cazuelas individuales con esta mezcla, poner encima un huevo entero en cada cazuela. Cubrir con crema y llevar a horno caliente. Sacar cuando el huevo comience a cuajar.

Huevos, vieiras, curry y cardamomo

Restaurante "Gato Dumas", "cocina de los perfumes", 1984.

4 personas
Tiempo de preparación: 10 minutos
Tiempo de cocción: 10 minutos

Ingredientes

200 g de vieiras limpias
3 cucharadas de cebolla de verdeo picadas
2 cucharadas de aceite de maíz
1 cucharada de curry
½ cucharada de cardamomo
12 huevos
Sal y pimienta

Preparación

1) Echar aceite en una sartén y saltear la cebolla de verdeo picada, a los 3 minutos agregar las vieiras, cocinar 2 minutos y agregar los huevos, curry y cardamomo, salpimentar, revolver y cocer a punto.

2) Colocar en el medio de una fuente, decorar con perifollo y a los costados tostadas en forma de corazón.

Huevos, centolla, champiñones y hierbas

Típico plato de la "cocina de los perfumes", adorado por Fernando Vidal Buzzi, quien ya le encontró dos versiones distintas, una húmeda con crema, y la otra, su preferida, secos los huevos del revuelto, con muy poca crema.

4 personas
Tiempo de preparación: 10 minutos
Tiempo de cocción: 7 minutos

Ingredientes

80 g de brotes de alfalfa
150 g de champiñones frescos cortados en juliana
400 g de carne de centolla con sus respectivas patas
¼ de taza de cebolla de verdeo picada muy fina
30 g de manteca
16 huevos
150 g de crema fresca
1 cucharadita de té, de pimentón
1 cucharadita de café, de fines herbes

Preparación

1) Separar las patas de centolla.

2) Poner la manteca en la sartén a fuego fuerte, echar en ella cebolla de verdeo, luego champiñones y saltearlos; agregar centolla, crema, pimentón, fines herbes. Dejar cocinar por unos minutos, agregar 12 huevos (reservar los restantes 4) y revolver. Comprobar la sal.

3) Calentar las patas de la centolla, en vapor.

4) Servir las cuatro porciones en cuatro platos, haciendo un hueco en el centro de cada uno y allí poner una yema cruda. Colocar en el horno previamente calentado al máximo por 3 minutos.

Al servir decorar con los brotes de alfalfa en forma de corona, y las patas de centolla.

Huevos Lilly Put y la Medusa

"La Chimère". Las angulas representan las víboras que rodeaban la cabeza de la Medusa.

4 personas
Tiempo de preparación: 20 minutos
Tiempo de cocción: 10 minutos

Ingredientes

4 docenas de huevos de codorniz
1 lata de angulas españolas
80 g de blanco de ave en juliana
Sal y pimienta negra recién molida
Curry y pimienta de Cayena
30 g de manteca
Gotas de Tabasco
2 kiwis en tajadas finitas
1 copa de vino blanco

Preparación

1) Cocer las tiras de ave en una sartén (es ideal el blanco de perdiz o de faisán) con 10 g de manteca. Cuando toman color agregar sal, pimienta negra recién molida, curry, vino blanco, Tabasco, Cayena; cocinar por 10 minutos y dejar una hora enfriando en esa mezcla.

2) Tomar 4 cazuelas de barro o hueveras de acero y colocar las carnes de ave en la base de ellas. Napar con la marinada.

3) Sobre las aves colocar las rodajas de kiwis bien abiertas, cuidando que cubran toda la terrina. Los kiwis deberán ser frescos y estar crudos.

4) Sobre los kiwis distribuir las angulas, agregar 5 g de manteca por cazuela, y sobre las angulas y la manteca romper una docena de huevos de codorniz. Hornear hasta que se cocinen los huevos.

Omelette de trucha ahumada

También se puede hacer con salmón ahumado (aproximadamente 80 g por persona) desmenuzado y sin espinas.

4 personas
Tiempo de preparación: 8 minutos
Tiempo de cocción: 6 minutos

Ingredientes

12 huevos
2 truchas
4 cucharadas de manteca
4 cucharadas de crema
Sal y pimienta negra recién molida

Preparación

1) Sacar prolijamente las cabezas de las truchas y cortar en 2 mitades a fin de que queden 4 mitades. Cortar las colas y reservar.

2) Remover y desmenuzar la carne de las truchas, cuidando que no quede ninguna espina.

3) Batir los huevos, mezclar con las carnes, crema y salpimentar.

4) En una sartén grande, derretir la manteca a fuego lento, agregar la mezcla de los huevos y hacer la omelette revolviendo poco a poco.

5) Decorar la omelette con las cabezas y las 2 colas y con ramas grandes de perejil.

Soufflé de langosta y queso

4 personas
Tiempo de preparación: 20 minutos
Tiempo de cocción: 45 minutos

Ingredientes

1 langosta de 1 kg
100 g de gruyère
8 huevos
½ litro de leche
50 g de manteca
100 g de harina
Sal, pimienta negra recién molida
¼ cucharadita de café, de pimienta de Cayena

Preparación

1) Cocinar la langosta 15 minutos en agua ya hervida. Sacar la carne de las patas de la langosta y desmenuzarla. Filetear muy fina y lo más pareja posible la carne de la cola.

2) En un bol mezclar la manteca con la harina, colocar a fuego bajo y revolver constantemente. Ir agregando la leche y cocinar por 12 minutos, salpimentar, echar Cayena, gruyère rallado y las 8 yemas. Todo esto de a poco, sin dejar de revolver, a fin de hacer una pasta pareja. Agregar la carne desmenuzada de las patas y las fetas de la cola de la langosta.

3) Batir las claras fuertemente, ya que deben quedar bien montadas. Enmantecar un buen recipiente, si es de barro o cerámica mejor.

4) Agregar dulcemente las claras a la mezcla con mucho cuidado para que no pierdan consistencia. Llenar el molde y hornear moderadamente por 20 minutos.

5) Servir inmediatamente sacado del horno.

Ostras en Chile

Esta receta puede ser preparada con ostras, mejillones, almejas o cholgas.

4 personas
Tiempo de preparación: 20 minutos
Tiempo de cocción: 10 minutos
Gratinado: 8 minutos

Ingredientes

Reservar 16 conchas grandes
Calcular 1 docena de ostras (de buen tamaño) por persona
50 g de manteca
1 cebolla grande muy picada
1½ copa de buen cognac
50 g de crema
1 copa de vino blanco seco
1 cucharada de vinagre de estragón
1 cucharada de postre, de estragón fresco picado
Sal
Pimienta negra recién molida
1 cucharada de salsa inglesa
Gotas de Tabasco
1 cucharadita de té, de curry suave
2 cucharadas de mostaza tipo Dijon
2 tazas de puré de espinacas
Queso gruyère rallado

Preparación

1) Sacar las ostras fuera de su concha junto con su jugo y ponerlas en un bol, revisándolas cuidadosamente a fin de que estén en perfectas condiciones.

2) En una sartén saltear la cebolla con la manteca. Cuando la cebolla tome color agregar las ostras, el cognac y flambear. Apagar el fuego con 50 g de crema. Agregar vino blanco, vinagre, estragón picado, sal, pimienta negra recién molida, salsa inglesa, Tabasco, curry y mostaza.

3) Mientras tanto, cocinar las espinacas en vapor por muy poco tiempo. Pasarlas a una licuadora.

4) Elegir 16 conchas grandes, 4 por persona. Rellenarlas con tres ostras cada una, cubrir con espinacas, luego crema y después gruyère. Gratinar.

Un vino blanco perfumado es el compañero justo.

Brochette de ostras

4 personas
Tiempo de preparación: 40 minutos
Tiempo de marinada: 12 horas
Tiempo de cocción: 20 minutos

Ingredientes

40 ostras de buen tamaño
1 taza de galletas molidas
¼ litro de vino blanco seco
Sal y pimienta negra recién molida
1 copa de jugo de limón
1 cucharadita de café, de curry suave
1 cucharada de mostaza tipo Dijon
4 zócalos de pan rectangulares y fritos en 100 g de manteca
4 ramos de perejil

Preparación

1) Hacer una marinada con vino blanco seco, sal, pimienta, jugo de limón, mostaza y curry.

2) Abrir las ostras, sacando el bicho y en un bol marinarlas toda la noche en la heladera. A la mañana siguiente retirar las ostras, reservando la marinada. Secar con servilletas las ostras y espolvorearlas con el polvo de galletas. Dejar reposar por dos horas para que queden bien impregnadas de la galleta.

3) Enhebrar 10 ostras por pincho y cocinar en un grill.

4) Mientras tanto se dará un hervor de 10 minutos a la marinada y se ligará con beurre manié (manteca y harina).

Servir muy calientes sobre los zócalos, decorar con perejil y acompañar con arroz blanco mezclado con cubitos de zanahorias, arvejas y pasas, y la salsa.

Mejillones de Buzios

4 personas
Tiempo de preparación: 10 minutos
Tiempo de cocción: 10 minutos

Ingredientes

2,5 kg de mejillones grandes sin arena
50 g de manteca
2 zanahorias
1 cebolla picada fina
2 copas de vino blanco
1 copa de cachaca
Perejil, tomillo, laurel, romero (en total 1 cucharada)
1 diente de ajo picado
Pimienta negra recién molida
Sal

Preparación

1) Raspar los mejillones y sacarles las barbas; pasarlos por agua fría.

2) En una sartén con manteca, rehogar las zanahorias, cortadas en rodajas finas y la cebolla. Luego incorporar las hierbas, ajo, sal, pimienta negra recién molida, vino blanco y cachaça.

3) Agregar los mejillones, y cuando se abran y estén cocidos, y expulsada toda el agua, retirarlos.

4) Pasar la salsa por un colador chino y agregar a los mejillones; espolvorear con perejil.

Mejillones con manteca de caracoles

4 personas
Tiempo de preparación: 60 minutos
Tiempo de cocción: 30 minutos

Ingredientes

48 mejillones limpios y carnosos
2 cucharadas de echalotes picados
1 cucharadita de café, de tomillo
1 cucharada de perejil picado
1 hoja de albahaca
Sal
1,5 dl de vino blanco seco

Manteca de caracol

250 g de manteca
3 dientes de ajo picado fino
1/4 taza de ciboulette picada fina
3/4 taza de perejil picado fino

Preparación

1) Elegir mejillones grandes, rasparlos, limpiarlos y lavarlos. Ponerlos en una sartén junto con los echalotes, el tomillo, el perejil y la albahaca.

2) Condimentar suavemente con sal y agregar el vino blanco seco. Cocinar al vapor hasta que las valvas se hayan abierto. Sacarles una valva a cada uno.

3) *Manteca de caracol:* Amasar la manteca, ajo, perejil, ciboulette finamente picados. Enfriar la manteca nuevamente antes de usarla.

4) Untar generosamente los mejillones con la manteca de caracol y hornearlos en horno caliente durante tres minutos.

Coquillas de centolla, mostaza y eneldo

4 personas
Tiempo de preparación: 15 minutos
Tiempo de cocción: 5 minutos

Ingredientes

4 coquillas grandes
500 g de carne de centolla
50 g de manteca
1 cucharada de mostaza tipo Dijon
1 cucharada de mostaza inglesa en polvo
1 taza de salsa blanca
1 copa de vino blanco
Sal y pimienta negra recién molida
½ taza de queso rallado
1 copa de crema de leche
1 cucharada de curry
1 cucharada de eneldo fresco picado

Preparación

1) Separar las patas de la centolla. Mezclar el resto de la carne con salsa blanca, mostazas, eneldo, vino blanco, sal, pimienta y curry.

2) Llenar las coquillas, poner crema, manteca y queso.

3) Gratinar bien dorado. Servir muy caliente decorado con perejil crespo.

Calamaretes y oporto

4 personas
Tiempo de preparación: 15 minutos
Tiempo de cocción: 25 minutos

Ingredientes

1 kg de calamaretes chicos
100 g de manteca
1 cucharada de aceite de oliva
Laurel
½ cebolla picada fina
1 cucharada de perejil picado fino
2 copas de oporto
Sal
Pimienta negra recién molida
200 g de crema
1 cucharadita de té, de curry

Preparación

1) Limpiar muy bien los calamaretes sacando el espinazo transparente.

2) Secarlos muy bien con un repasador.

3) En una sartén colocar la manteca, aceite, laurel; rehogar la cebolla, agregar los calamaretes, luego el oporto, pimienta negra recién molida, sal, curry y crema.

4) Servir con perejil picado y tostadas en triángulo de pan frito en manteca.

Angulas sobre pan frito como en Chile

4 personas
Tiempo de preparación: 3 minutos
Tiempo de cocción: 5 minutos

Ingredientes

½ kg de angulas frescas (no en lata)
4 cucharadas de aceite de oliva
4 cucharadas de aceite de maíz
8 ajíes fuertes y pequeñitos
8 triángulos de pan frito

Preparación

1) Lavar las angulas, llevar a un hervor de 3 a 4 minutos en agua ya hirviendo.

2) Mientras tanto se habrán fritado las tostadas en el aceite de maíz y se habrá preparado, en una cacerola de doble fondo, el aceite de oliva con los ajíes a máxima temperatura.

3) Retirar las angulas del hervor y secar prolijamente. Sumergir por algo menos de 1 minuto en el aceite hirviendo cuidando que no se quemen revolviendo dulcemente.

4) De inmediato colocar sobre los panes fritos y servir muy caliente.

Ranas, crema y champagne

4 personas
Tiempo de preparación: 4 horas
Tiempo de cocción: 30 minutos

Ingredientes

24 patas de ranas macho grandes y carnosas
1 litro de leche
2 copas de vino blanco
30 g de manteca
100 g de crema
2 copas de champagne
3 tazas de arroz blanco cocido
Sal
Pimienta negra recién molida
1 cucharada de postre, de paprika
2 hojas de laurel
200 g de champiñones en juliana
1 cucharada de cebolla rallada rehogada
Perejil

Preparación

1) Marinar las 24 patas en leche y vino blanco por 3 horas.

2) En la misma marinada dar un hervor hasta que queden blandas y luego deshuesarlas.

3) En una cacerola preparar una salsa donde luego se mezclará la carne de las patas. Saltear con manteca los champiñones y la cucharada de cebolla rallada. Agregar laurel, paprika, sal y pimienta negra recién molida, la crema y el champagne. Una vez caliente y liviana, agregar la carne.

4) En platos individuales hacer coronas de arroz. En el medio rellenar con las ranas y la salsa. Decorar con mucho perejil alrededor del arroz.

Mollejas como en "La Chimère"

Las mollejas deberán ser tremendamente frescas y de la mejor calidad. Limpiarlas y despellejarlas. Darles un hervor y llevar a un semicongelamiento a fin de poder cortarlas bien finitas con un cuchillo fiambrero filoso. Ponerlas en una fuente y secarlas en un repasador. En una sartén con manteca muy caliente darles una pasada para endurecerlas y que queden un poco crocantes; retirarlas y guardarlas. Así tenemos las mollejas listas para ser cocinadas de la forma que a mí me gustan. No como las hacen los franceses, gordas y medio chiclets.

4 personas
Tiempo de preparación: 15 minutos
Tiempo de cocción: 10 minutos

Ingredientes

4 zócalos de hojaldre frescos y secos
600 g de mollejas ya preparadas
2 tomates pelados y sin semillas
2 cucharadas de cebolla rallada
10 hojitas de estragón fresco
½ taza de crema
2 copas de champagne seco
Sal y pimienta negra recién molida
1 pizca de curry y pimienta de Cayena
30 g de manteca

Preparación

1) Colocar los zócalos en una fuente y mantenerlos al calor.

2) Hacer la salsa en una sartén con manteca. Rehogar la cebolla, agregar las mollejas, los dos tomates licuados, 10 hojitas de estragón fresco, champagne, sal, pimienta negra recién molida, curry y Cayena. Luego la crema.

3) Napar con las mollejas y la salsa rosada los zócalos de hojaldre.

Opcional

En vez de zócalos de hojaldre, usar vol-au-vent. Tienen que estar bien llenos, que la salsa rebalse. También junto con las mollejas se puede agregar láminas de champiñones y no poner tomate. Cambiarlo por más crema, salsa inglesa, dos mostazas,Dijon y Colman's, curry Madrás y las especias que más gusten. Siempre con champagne. Otra vez: es muy importante que los vol-au-vent estén bien llenos, que rebalsen.

Creo que un champagne brut es lo ideal para estas mollejas.

Médula de huesos en cazuelitas

Restaurante "Clark's" Junín, 1975.

4 personas
Tiempo de preparación: 20 minutos
Tiempo de cocción: 25 minutos

Ingredientes

20 médulas de buen tamaño
3 cucharadas de perejil picado
2 cubitos de caldo de carne o 1 cucharada de extracto de carne
16 tostaditas
1 copa de vino tinto

Preparación

En caso de no tener médulas, comprar huesos gruesos y, en crudo, rasparlos fuerte con un cuchillo grande o un hacha de cocina. Luego pararlos sobre una mesa y darles un golpe fuerte y seco en una de las puntas. El hueso se partirá y quedará la médula libre.

1) En una legumbrera, con muy poca agua, cocer la médula en el horno por unos minutos. Retirar cuando aún le falte cocción.

2) En una salteadora o sartén, verter el vino y los cubitos o el extracto de carne. Dejar cocinar y evaporar durante 15 minutos. Agregar las médulas por 5 minutos. Mientras tanto, se habrá picado 1 cucharada de perejil y tostado 16 rodajas de pan.

3) Retirar, reducir y espesar la salsa. Colocar la médula dentro de las cazuelitas, napar con la salsa, espolvorear con perejil, acompañar con tostadas. Servir muy caliente.

Spareribs

4 personas
Tiempo de preparación: 4 horas 30 minutos
Tiempo de cocción: 20 minutos

Ingredientes

2 kg de *spareribs* (costillas de pechito de chancho)
2 copas de jerez seco
2 copas de salsa de soja
2 cucharadas de azúcar
2 dientes de ajo muy picados
1 cucharadita de café, de canela
1 cucharadita de café, de nuez moscada
¼ cucharadita de café, de clavo en polvo
Mostaza inglesa
Sal

Preparación

1) Mezclar jerez, salsa de soja, ajo, azúcar y especias. Agregar sal. Marinar las costillas en esta mezcla por 4 horas.

2) Hornear las costillas a calor suave, aproximadamente 170°C durante 60 minutos mojando constantemente con los jugos de la marinada.

3) Cortar en costillas individuales y servir con mostaza inglesa.

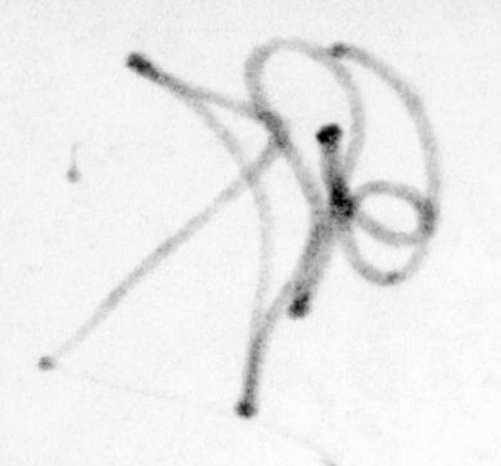

Sorbetes y
ensaladas agrias
INTERMEZZO

Sorbete de limón

4 personas
Tiempo de preparación: 5 minutos
Tiempo de cocción: 15 minutos
Tiempo de enfriado: 3 horas

Ingredientes

225 g de azúcar
3 dl de jugo de limón
Ralladura de cáscara de 1 limón

Preparación

1) En una cacerola llevar a un hervor el azúcar con 7 dl de agua. Hervir durante 5 minutos. Enfriar. Agregar el jugo de limón y la ralladura de 1 limón.

2) Pasar por un cedazo y colocar en una fuente de acero o aluminio en freezer.

3) En 3 horas estará listo.

Típicos sorbetes de agua con alcoholes

1º) *Sorbete de limón con vodka.*

En una copa de pie alto y abierta colocar una bolita de helado de limón con una medida de vodka, de preferencia polaca o rusa.

2º) *Sorbete de limón con champagne.*

Repetir con champagne brut en vez de vodka.

3º) *Sorbete de durazno, siempre de agua con grappa italiana.*

4º) *Sorbete de frambuesa con aguardiente de frambuesa.*

Es transparente.

5º) *Sorbete de pera con aguardiente (Poire Williams).*

Este es el más sofisticado. Es difícil de conseguir este aguardiente, sobre todo con la pera dentro de la botella.

Ensalada agria de corte

4 personas
Tiempo de preparación: 15 minutos

Ingredientes

12 tallos de apio joven de 13 cm de largo
8 cabezas de champiñones en juliana
12 hojas de endibias parejas
Jugo de 3 limones
Sal y pimienta negra recién molida

Preparación

1) Lavar y cortar parejos los apios y las endibias. Colocarlos en una cerámica alargada, los apios en una punta y las endibias en la otra.

2) Unir con 2 champiñones en juliana como si fuera un lazo.

3) Regar con jugo de limón y salpimentar.

4) Decorar con flores sin sus tallos.

Ensalada agria del medio

4 personas
Tiempo de preparación: 5 minutos

Ingredientes

16 hojas de lechuga morada (bien coloradas)
4 cabezas de champiñones en fetas finas
4 puñados de berro de jardín

Preparación

En un plato alargado o terrina colocar en una de las puntas, y paradas con el tallo para abajo, las lechugas moradas; en el centro champiñones fileteados finitos, y en la otra punta el berro de jardín.

Aliño

Sal y vinagre de estragón solamente.

Espinacas con alfalfa

En una terrinita colocar en el centro la alfalfa. Rodear la alfalfa con hojas de espinacas crudas, siempre con el tallo para abajo y paradas.

Aliño

Para las espinacas, vinagre de menta.
Para los brotes, jugo de limón.
Sal.

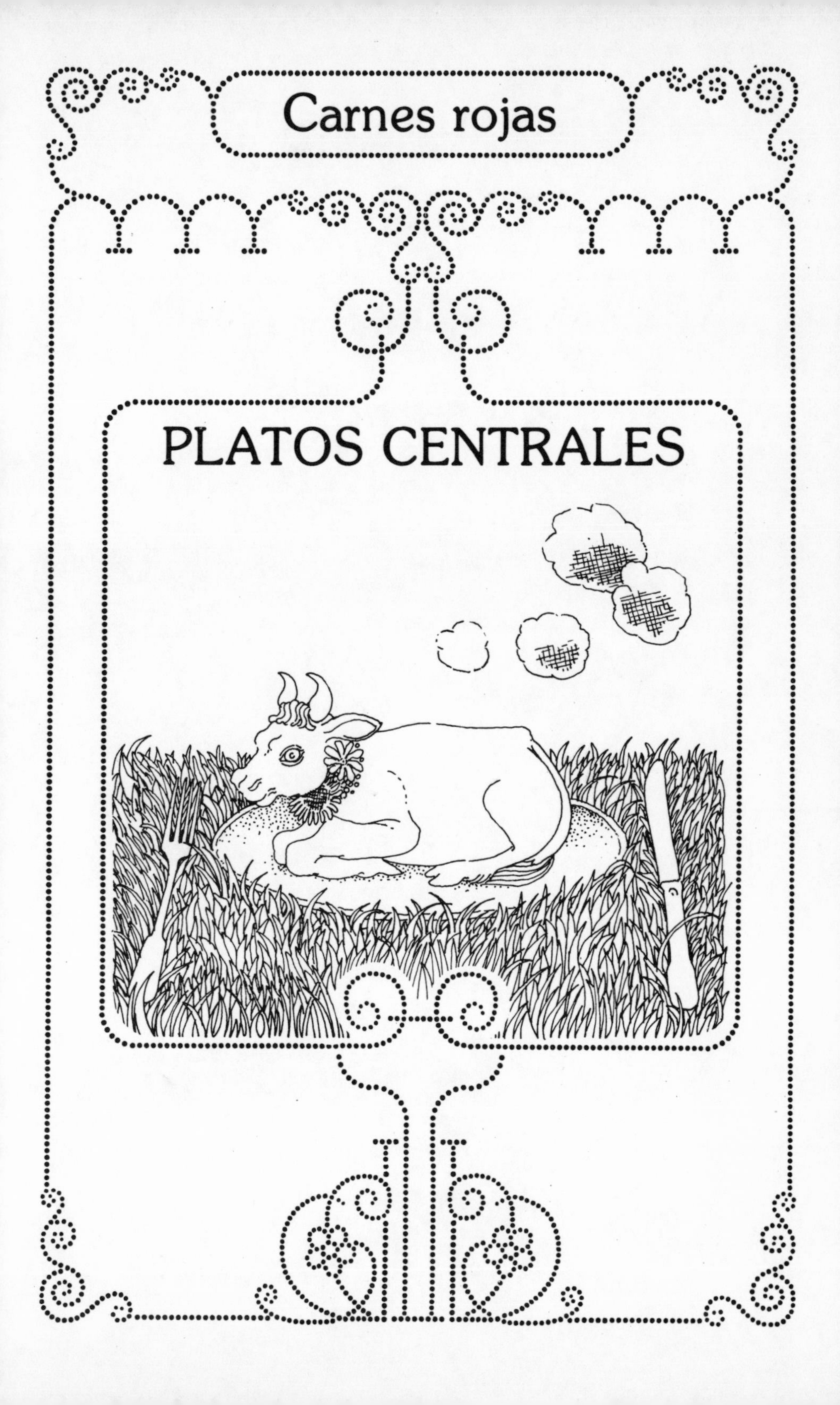
Carnes rojas
PLATOS CENTRALES

Lomo "Clark's"

Debutó el primer día de "Clark's". Es el plato, junto con los champiñones de Homero, más vendido en estos doce años de "Clark's".

4 personas
Tiempo de cocción: 50 minutos

Ingredientes

1 lomo de 2 kg
1 lata de 100 g de buen paté
300 g de champiñones
150 g de panceta picada gruesa
2 copas de vino tinto
1 cucharadita de extracto de carne
¾ kg de masa de hojaldre
4 yemas
1 cucharadita de curry, sal, pimienta en grano negra recién molida
½ cucharadita de café, de cardamomo
Maicena

Preparación

1) Cortar ambos extremos del lomo, salpimentar, y asar durante quince minutos.

2) Retirar y escurrir el jugo, guardándolo.

3) Aparte saltear en una sartén 200 g de champiñones con 100 g de panceta picada gruesa; retirar del fuego luego de unos minutos.

4) Recubrir el lomo con paté, agregando los champiñones y la panceta, envolver con la masa, decorarla y pintarla con las yemas batidas.

5) Hornear hasta que la masa se cocine y tome color.

6) Mientras el lomo se hornea mezclar el jugo, que se había apartado, con el vino tinto, sal, pimienta, cardamomo, curry, 100 g de champiñones, 50 g de panceta picada y llevar todo a un hervor, agregando el extracto de carne.

7) Cocinar hasta reducir espesando con un poco de maicena.

8) Decorar el lomo con hojas de perejil, y acompañar con papas Siobhan.

Vichyssoise con berros en "La Chimère" (pág. 24).

Gazpacho de "La Chimère" (pág. 23).

La ronda de lavanderas en el río con su paté de mejillones encerrado (pág. 61).

Blinis con salmón ahumado (pág. 36).

Hojas de endibias y patas de centolla (pag. 32).

Terrina de pato salvaje en otoño (pág. 64).

G.D. preparando truchas.

Huevos escritos y salsa verde (pág. 47).

Ensalada del agua (pág. 42).

Lomo entero en sartén flambeado con cognac (pág. 129).

Terrina de hígados de ave (pág. 63).

Paté de centolla (pág. 62).

Timbal de verduras en colores (pág. 69).

El magnífico Carpaccio (pág. 66).

Entrecôte Borgoña (pág. 141).

Omelette de trucha ahumada (pág. 103). *Angulas como en Chile* (pág. 112).

Huevos, centolla, champiñones y hierbas (pág. 101).

Lomo "Clark's" (pág. 127).

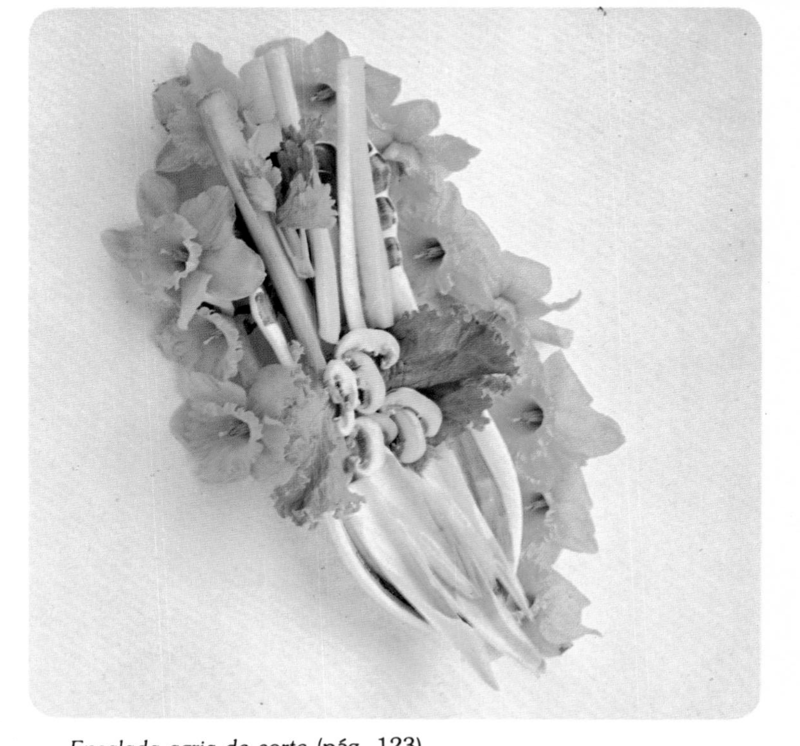

Ensalada agria de corte (pág. 123).

Lomo de chancho, *gruyère y mostaza* (pág. 157).

Entrecôte en colchón de berros (pág. 142).

G.D. cortando entrecôtes.

Chancho Luis con miel y cerveza (pág. 151).

Lomo entero en sartén flambeado con cognac

4 o 5 personas
Tiempo de preparación: 30 minutos
Tiempo de cocción: 30 minutos

Ingredientes

1 lomo de 2 kg
200 g de manteca
100 g de crema de leche
3 copas de un buen cognac
1 ramo de perejil
2 copas de vino tinto borgoña
2 cucharaditas de pimienta negra partida
1 cucharada de aceite

Preparación

1) Limpiar y desgrasar bien el lomo, quitándole la telita que lo recubre.

2) Poner la pimienta en una fuente grande y pasar la carne de manera que la pimienta quede bien adherida; salar.

3) Calentar en una sartén 100 g de manteca y una cucharada de aceite, cocinar la carne a fuego lento durante 10 minutos, dándole vuelta para que la cocción sea pareja.

4) Sacar la manteca quemada, agregar los 100 g restantes, y de inmediato el cognac; flambear y seguir a fuego lento durante 5 minutos; agregar el vino, y por último la crema.

5) Dejar 5 minutos más hasta que la salsa se concentre.

6) Servir en fuente bien caliente decorada con ramas de perejil.

7) Acompañar con papas quiméricas.

Lomo entero con estragón

4 o 5 personas
Tiempo de preparación: 30 minutos
Tiempo de cocción: 20 minutos

Ingredientes

1 lomo de 2 kg aproximadamente
200 g de manteca
½ copa de vinagre de estragón
2 copas de cognac
1 copa de jerez
1 cucharada de estragón fresco bien picado
3 cucharadas de crema de leche
1 ramito de perejil
Sal y pimienta

Preparación

1) Limpiar y desgrasar el lomo, quitándole la telita que lo recubre. Salpimentar.

2) Calentar en una sartén 100 g de manteca y cocinar la carne durante 10 minutos dándole vuelta para que la cocción sea pareja.

3) Sacar la manteca quemada, agregar los 100 g restantes y de inmediato el cognac, el jerez y el vinagre de estragón; dejar 5 minutos más hasta que se evapore el alcohol.

4) Agregar el estragón fresco bien picado y la crema de leche; dejar 5 minutos más.

5) Servir en fuente bien caliente, decorado con el perejil.

Lomo entero con mostaza Dijon

4 o 5 personas
Tiempo de preparación: 30 minutos
Tiempo de cocción: 20 minutos

Ingredientes

1 lomo de 2 kg aproximadamente
200 g de manteca
2 copas de vino blanco seco
1/4 litro de crema
5 cucharadas soperas de mostaza tipo Dijon
4 yemas de huevos frescos
1 copa de vinagre de estragón y estragón picado
Sal y pimienta negra recién molida
Perejil

Preparación

1) Limpiar y desgrasar el lomo, quitándole la telita que recubre la carne, salpimentar y asarlo en una sartén con 100 g de manteca a fuego lento durante 10 minutos, dándole vuelta.

2) Sacar la manteca que se usó para el asado y agregar los cien gramos restantes, bañar de inmediato con el vino y el vinagre y dejar cocer siempre a fuego lento 5 minutos más, hasta que se evapore el alcohol.

3) Agregar la crema mezclada con las yemas, la mostaza y el estragón, y dejar 5 minutos más.

4) Servir en una fuente bien caliente decorada con mucho perejil y guarnición de croquetas de papa.

Lomos y Calvados

Restaurante "Gato Dumas", 1984.

4 personas
Tiempo de preparación: 5 minutos
Tiempo de cocción: 25 minutos

Ingredientes

8 medallones del corazón de un lomo
Manteca y una cucharada de aceite
2 copas de Calvados
2 hígados de pollo, 100 g de panceta ahumada
1 cucharadita de té al ras, de extracto de carne (yo uso glace de viande mía)
150 ml de crema de leche
Sal y pimienta negra recién molida
Curry, cardamomo, mostaza Dijon, mostaza inglesa, laurel. De todo, la punta de un cuchillo
Hierbas frescas (romero, perejil, ciboulette)

Preparación

1) Cocinar los lomos salpimentados en una sartén a fuego suave por muy poco tiempo, para que queden jugosos. Guardarlos al calor.

2) Tirar el exceso de grasa de la sartén. Agregar allí manteca, panceta en cubos chicos y los hígados de pollo. Saltear por unos segundos. Agregar las especias. Luego el Calvados y flambear. Dejar que el fuego se apague lentamente. Retirar los hígados y la panceta, escurrirlos y licuarlos, volverlos a la sartén con el Calvados y las hierbas. Agregar extracto de carne y dejar reducir.

3) Agregar crema y reducir nuevamente. Poner más manteca.

4) Colocar los lomos en la sartén con la salsa y terminar la cocción. Si está muy espesa la salsa, agregar agua. Servir con mucha salsa y croquetas panadas de papa con queso. Decorar con perejil crespo para darle un poco de color.

Lomos dos mostazas y estragón

4 personas
Tiempo de preparación: 15 minutos
Tiempo de cocción: 15 minutos

Ingredientes

1 lomo (corazón) de 2,2 kg
1 taza de aceite de maíz
3 copas de vino blanco
1 cucharada de postre, de mostaza Colman's
2 cucharadas de sopa, de mostaza tipo Dijon
1 taza de salsa blanca bien líquida
1 taza de crema
2 cucharadas de cebolla muy picada
1 cucharada de estragón picado
½ taza de vinagre de estragón

Preparación

1) Cortar el corazón del lomo en 8 medallones parejos, salar y dorar en sartén con aceite. Que queden bien crudos.

2) Retirar un poco de aceite de la sartén, agregar la cebolla y dorarla.

3) Agregar el vino blanco, Colman's, Dijon, crema y salsa blanca, el vinagre de estragón y el estragón.

4) Dejar hervir 5 minutos, hasta que ligue.

5) Servir el lomo, napado con mucha salsa.

Lomos grillé con manteca roquefort

4 personas
Tiempo de preparación: 30 minutos
Tiempo de cocción: 30 minutos

Ingredientes

4 buenos bifes (de un lomo de 2 kg sucio)
Manteca blanda
Sal, pimienta negra recién molida
Berros

Manteca roquefort

50 g de roquefort
100 g de manteca
Jugo de 1 limón
3 cucharadas de perejil picado
4 rodajas de limón

Preparación

1) Salpimentar los lomos y mojarlos con la manteca.

2) Asarlos en la parrilla y tratar de que queden bien marcados.

3) Pisar el roquefort y calentarlo, mezclar con la manteca, el jugo de limón y el perejil.

4) Hacer un rollo y envolverlo en papel aluminio o manteca.

5) Enfriar y guardar en la heladera hasta el momento de usar, en el que se lo cortará en rebanadas.

6) Colocarlas sobre las rodajas de limón, a su vez éstas sobre los bifes y acompañar con berros.

Lomos de ternera aromatizados

Esta receta se preparó originalmente con cordero. Como es difícil conseguir un cordero bueno y tierno y tener que comprar el costillar entero para deshuesarlo y atarlo, pensé esta modificación.

4 personas
Tiempo de marinada: 4 horas
Tiempo de preparación: 15 minutos
Tiempo de cocción: 20 minutos

Ingredientes

8 medallones del corazón del lomo de 130 g cada uno
8 fetas de panceta con mucha carne y poca gordura
2 cebollas en juliana para la marinada
2 zanahorias para la marinada
½ litro de vino blanco para la marinada
½ kg de chauchas cortadas en juliana muy fina apenas cocidas en agua y sal
120 g de manteca
½ taza de jugo de limón
1 cucharada de postre, de menta fresca picada
2 tazas de vino tinto borgoña
1 cucharada de postre, de extracto de carne
1 cucharada de postre, de estragón picado fresco
1 cucharada de postre, de pimienta verde
½ kg de batatas cocidas, machacadas y hechas croquetas

Marinada

Colocar previamente los medallones en una fuente con la cebolla, zanahoria, vino blanco, el jugo de limón y las especias que más le gusten.

Preparación

1) Enrollar los medallones en las fetas de panceta; saltearlos en sartén con poco aceite. Dorar los dos extremos de los medallones.

2) Agregar a la sartén el extracto de carne, el vino, estragón, pimienta verde.

3) Retirar los lomos y dejarlos en un lugar caliente; reducir la salsa.

4) En una fuente de hornear colocar las bolitas de batata, espolvorearlas con azúcar y hornear hasta que se dore el azúcar.

5) Colocar los medallones en una fuente, napar con la salsa, decorar con la guarnición de chauchas y las bolitas de batata. Espolvorear los medallones con la menta fresca.

6) Terminar con la manteca.

Medallones de lomo y caviar de salmón

Restaurante "Gato Dumas", "cocina de los perfumes", 1983.

4 personas
Tiempo de preparación: 30 minutos
Tiempo de cocción: 20 minutos

Ingredientes

8 medallones del corazón del lomo, de 120 g cada uno
100 g de caviar de salmón
2 cucharadas de ciboulette picada
1/4 cucharada de eneldo picado
80 g de manteca, 2 cucharadas de aceite
2 copas de cognac, 2 copas de vino blanco seco
Sal, pimienta negra, cardamomo
400 g de chauchas cortadas parejas y finas
1/2 litro de crema, 8 tomatitos (muy chicos)
100 g de champiñones picados
100 g de foie-gras (lata)

Preparación

1) Dorar los medallones en una sartén amplia con manteca y aceite.

2) Flambear con cognac, luego agregar vino blanco, hierbas y especias, salpimentar.

3) Retirar los medallones y agregar la crema a la sartén.

4) Mientras tanto, se habrán salteado en manteca los champiñones picados.

5) Vaciar los tomates y rellenarlos primero con los champiñones y luego con el foie. Calentarlos.

6) Saltear las chauchas cortadas parejas y finas.

Servir los medallones, naparlos con la salsa; por encima de cada medallón agregar caviar frío. Tratar de que tiña un poco los contornos de la salsa.

Acompañar con las chauchas y los tomates como guarnición.

Variación de medallones de lomo con caviar gris de grano grueso

4 personas
Tiempo de preparación: 30 minutos
Tiempo de cocción: 15 minutos

Ingredientes

8 medallones de lomo de 120 g cada uno
3 cucharadas de cebolla de verdeo picada
12 fetas de trufas negras de Périgord
2 copas de cognac
2 tazas de crema mezclada con vino blanco
150 g de chauchas cortadas en juliana y cocinadas en vapor
12 tomatitos chicos rellenos de foie-gras, queso rallado y ciboulette y tapados con una feta de trufa negra
150 g de manteca
6 cucharaditas de té, de buen caviar gris

Preparación

Poner en una sartén la manteca y dorar en ella los medallones, agregar la cebolla de verdeo y luego flambear con el cognac. Agregar la crema, dejar cocinar durante 8 minutos.

Presentación

Colocar en cada plato 3 copos pequeños de chauchas y sobre cada uno de ellos un tomatito. Ambos tibios. En el centro del plato 2 medallones napados con la salsa y sobre cada medallón caviar gris.

Medallones de lomo con pimienta verde

4 personas
Tiempo de preparación: 25 minutos
Tiempo de cocción: 10 minutos
Tiempo de cocción guarnición: 40 minutos

Ingredientes

1 lomo de 2 kg
1 copa de pimienta verde
200 g de manteca
Sal, pimienta, poco curry

Guarnición

Para hacer 8 croquetas panadas y fritas:
1,5 kg de papas hervidas y peladas
3 huevos
3 yemas de huevo
1 cucharada de eneldo picado
¼ taza de gruyère rallado

1) Cocinar las papas, pelarlas, hacer una mezcla con los huevos, sal, pimienta, eneldo y gruyère. Todo bien pisado.

2) Moldear 8 croquetas en forma de pera. Pasar por tres yemas batidas y panar. Dejar enfriar y descansar. Luego freír.

Preparación de los medallones

1) Cortar 8 medallones parejos, salar, pimentar y espolvorear con curry.

2) En una sartén poner la mitad de la manteca, saltear los medallones, cambiar de sartén con manteca nueva, poner la pimienta y terminar la cocción.

3) Colocarlos en una fuente y cubrir con la manteca y la pimienta. Acompañar con las croquetas y decorar con mucho perejil fresco.

Milanesitas de lomo, gruyère y curry

4 personas
Tiempo de preparación: 30 minutos
Tiempo de cocción: 30 minutos

Ingredientes

8 milanesitas de lomo
50 g de gruyère, pan o galleta rallada
4 tomates, 3 huevos
1 taza de crema
1 cucharada de postre, de curry mild
1 cucharada de postre, de mostaza Dijon
Sal, pimienta negra en grano recién molida
1 vaso de vino blanco seco

Guarnición

½ kg de puré de zanahorias
½ kg de puré de espinacas
Estos purés hechos con crema, sal, pimienta y manteca

Preparación

1) Cortar escalopes del corazón del lomo y hacerles un corte por la mitad. Rellenarlos con gruyère cortado en láminas muy finas. Apretarlos bien, pasar por huevo y pan o galleta. Que queden chatos, parejos, bien recortados, todos iguales. Freír con aceite de maíz.

2) Mientras tanto se habrán hecho los purés y la crema tomatada. Dar a los tomates un hervor a fin de pelarlos, luego licuar la carne de los tomates, mezclar con crema, curry, mostaza, sal y pimienta y el vino blanco.

3) En una fuente de servir, disponer en el fondo la crema de tomate y vino, sobre ella las milanesitas y de cada lado los purés de colores.

El queso dentro de las milanesitas debe quedar derretido.

Entrecôte Borgoña

Gato Dumas para "Clark's II".

4 personas
Tiempo de preparación: 10 minutos
Tiempo de cocción: 50 minutos

Ingredientes

4 entrecôtes de 220 g cada uno
18 caracús (médula)
2 cebollas
50 g de manteca
1 botella de borgoña
3 cucharadas de aceite de oliva
1 taza de jugo de carne
4 ramilletes de berro
1 cucharadita de café, de romero picado
Sal y pimienta negra recién molida
1 cucharadita de café, de curry
1 cucharada de mostaza tipo Dijon

Preparación

1) En una cacerola poner el aceite y la manteca, y dorar allí las cebollas, cortadas en rodajas, separándolas una por una.

2) Una vez doradas, agregar a la cacerola vino, jugo de carne, romero, sal, pimienta, curry, mostaza y dejar cocinar por 20 minutos.

3) Una vez terminado, ligar si es necesario, y tamizar.

4) Colocar todo en una cacerola, llevar a fuego lento e incorporar las médulas cortadas en cubos de 1 a 2 cm cada uno mientras en una sartén se cocinan los 4 entrecôtes dorándolos de ambos lados.

5) Terminar su cocción en la sartén, agregando la salsa.

6) Servir los entrecôtes napados con la salsa y decorados con los pedazos de caracú y los ramilletes de berro.

Entrecôte en colchón de berros

4 personas
Tiempo de preparación: 20 minutos
Tiempo de cocción: 30 minutos

Ingredientes

4 entrecôtes de 320 g cada uno
Hojas de berros como para 4 ensaladas
4 papas grandes con piel bien lavadas
1 cucharada de hierbas (estragón, romero, salvia, mejorana)
2 tazas de crema
1 taza de champagne
2 echalotes
100 g de tocino fresco
1 copa de vino blanco
1 taza de aceite de maíz
Roux blanco

Preparación

1) Grillar la carne a punto. Precocer las papas en agua.

2) Hacer un fondo con los echalotes picados. Agregar el champagne; ligar con roux blanco; agregar la crema. Dejar cocinar lentamente 15 minutos a fuego lento.

3) Terminar la cocción de las papas peladas y cortadas en trozos irregulares en aceite y trozos de tocino fresco. Cuando estén doradas sacarlas y espolvorear con hierbas.

Presentación

Saltear ligeramente las hojas de berro en sartén, con la copa de vino blanco. Repartirlas en 4 platos; colocar sobre ello la carne; encima un cordón de salsa de crema, y a los lados las papas salteadas.

Escalopines de ternera y limón

4 personas
Tiempo de preparación: 15 minutos
Tiempo de cocción: 15 minutos

Ingredientes

12 escalopines de ternera muy joven de unos 80 g cada uno
Sal y pimienta negra
6 limones
2 copas de vino blanco seco
1/4 taza de aceite de oliva, 1/4 taza de manteca
1 copa de jugo de limón
2 tazas de arvejas frescas (en el peor de los casos, arvejas pequeñas en lata)
50 g de crema de leche
50 g de manteca
Sal y pimienta negra recién molida
Queso rallado fresco (parmesano)

Preparación

1) Machacar los escalopines salpimentados y saltearlos en aceite y manteca hasta que queden dorados.

2) Agregar el jugo de limón y el vino blanco y cocinar 5 minutos más.

3) Mientras tanto ir pelando los limones, despepitarlos. Tres de ellos cortarlos en rodajas muy finas e intercalarlos con los escalopines. Los otros tres limones se cortarán en gajos.

4) Servir muy caliente napados con la salsita de cocción.

5) Acompañar con las arvejas salteadas y los gajos de limón. En caso de que las arvejas sean de lata hacer un puré con ellas tamizándolas y agregando crema, manteca, queso, sal y pimienta negra recién molida. Revolver bien. Si se quiere hacer el puré con las arvejas frescas darles un hervor y luego tamizarlas.

Terneras con limón y pimienta verde de Madagascar

8 personas
Tiempo de preparación: 20 minutos
Tiempo de cocción: 30 minutos

Ingredientes

1 silla de ternera de leche de 20 días
200 g de manteca
Jugo de 4 limones
3 cucharadas soperas de pimienta verde
1 cucharada de curry mild
Sal
Pimienta negra recién molida

Preparación

1) Cortar la silla en rebanadas. Pisar la mitad de los granos de pimienta verde, hacer una pasta, derretir 100 g de manteca y juntar con la pasta. Agregar sal y pimienta y el jugo de los limones.

2) Con esta salsa untar las carnes.

3) Hacer un fuego y colocar las carnes a 30 cm de las brasas y pintar constantemente con el resto de la salsa.

4) Con los otros 100 g de manteca, la pimienta negra y el curry hacer una salsa y servirla aparte.

Pernil de ternera con oporto y estragón

8 personas
Tiempo de preparación: 20 minutos
Tiempo de cocción: 1 hora 30 minutos

Ingredientes

1 pierna de ternera joven de 5,5 kg aproximadamente
Sal gruesa
300 g de manteca
32 champiñones frescos de tamaño mediano
6 papas grandes
1 cucharada de pimienta verde
16 fetas de tocino ahumado de 2 mm de espesor
4 copas de oporto
2 cucharadas de estragón picado
½ cucharada de pimienta negra recién molida
1,5 litro de caldo concentrado
½ taza de roux oscuro

Preparación

1) Condimentar con sal gruesa y luego poner la pierna en una asadera, untada con manteca, pimienta verde, pimienta negra y estragón. Cocer al horno 60 minutos a fuego moderado.

2) Retirar y colocar el fondo de cocción en una sartén amplia y agregar el caldo y el oporto; dejar cocinar 15 minutos para reducir y ligar con el roux oscuro. Dejar 2 minutos más y terminar con poca manteca y sal.

3) Lavar y cortar las papas, con piel, en rodajas a lo largo y de poco más de ½ cm de espesor, napar de manteca y condimentar con sal, colocar en una parrilla para que se marquen, y luego terminar de cocinar en el horno 14 minutos.

4) Saltear los champiñones enteros en manteca hasta que estén dorados.

Presentación

En cada plato servir 2 tajadas de ternera, a un lado dos rodajas de papas grilladas, y al otro 4 champiñones salteados. Napar con salsa la carne y colocar encima dos fetas de tocino ahumado, pasadas por sartén.

También se puede presentar la pierna entera con la guarnición a los costados.

Arrollado de ternera de 20 días

4 personas
Tiempo de preparación: 30 minutos
Tiempo de cocción: 65 minutos

Ingredientes

1 matambre de ternera joven
2 tazas de puré de espinacas
4 huevos crudos
6 huevos duros
10 tiras de jamón cocido de 1 cm de espesor
Pimienta de Cayena
Sal
6 blancos de puerros
2 zanahorias ralladas
3 morrones fritos, pelados y cortados en tiras
½ cucharada de postre, de estragón

Salsa

2,5 litros de caldo concentrado ligado con roux oscuro
1 cucharada de glace de viande más una de salvia

Preparación

1) Extender sobre la mesa el matambre. Salpimentar.

2) Batir los huevos en un bol y agregar el estragón, sal, pimienta de Cayena y juntar con la espinaca y la zanahoria. Mezclar todo y extender sobre el matambre.

3) Colocar los huevos en hilera, y a sus costados, el puerro, los morrones y las tiras de jamón cocido.

4) Arrollar cuidadosamente y atar firme con hilo de algodón.

5) Envolver con papel metálico y cocinar al horno 65 minutos. Retirar y dejar enfriar.

Presentación

Cada plato con una rodaja de 1,5 cm de espesor napada con la salsa y con guarnición de zanahorias torneadas, habas y champiñones frescos salteados con manteca. Si se deja enfriar se puede cortar mejor.

Niños envueltos

Era del Turco Lagos. Es típica de mi cocina, quizá un poco cambiada. Ya la hacía en Londres entre 1959 y 1962. Es un plato ideal para plato único para muchas personas. La última vez que los hice fue en lo de Rafael Cash en Quequén a fines de febrero de 1985. Salieron espléndidos.

4 personas
Tiempo de preparación: 30 minutos
Tiempo de cocción: 2 horas 15 minutos

Ingredientes

8 escalopes de bola de lomo
200 g de paté (lata)
8 huevos duros
1 cebolla picada fina
200 g de panceta ahumada cortada en tiras
½ taza de perejil picado
1 diente de ajo aplastado y picado
120 g de manteca
1 botella de buen borgoña
Sal y pimienta negra recién molida
1 cucharada de postre, de curry
Nuez moscada, laurel, 1 clavo, 3 cubitos de caldo de carne
4 cucharadas de aceite de maíz

Preparación

1) Machacar los escalopes, salpimentar, untarlos con paté.

2) Picar los huevos duros y el perejil, pegarlos al paté y agregar una o dos tiras de panceta. Envolver los escalopes y cerrar con escarbadientes.

3) En una marmita poner la manteca y el aceite, calentar, agregar cebolla, clavo, nuez moscada, sal, pimienta, laurel y curry. Rehogar la cebolla a fuego lento hasta que esté transparente, agregar los niños y dorarlos muy bien, cuidando que no se queme la cebolla.

4) Agregar a la marmita el resto del paté, perejil, huevo, panceta, ajo, cubos de caldo; cubrir con el vino. Tapar la marmita y cocinar a fuego lento por 1 hora. Destapar la marmita y cocinar por 30 minutos. Retirar los niños con un tenedor y mantenerlos en lugar caliente. Espesar la salsa con manteca manié, cocinar por 15 minutos y volver los niños a la marmita con cuidado para que no se desarmen.

Presentación

Servir sobre un lecho de arroz blanco los niños napados con mucha salsa.

Chancho Luis con miel y cerveza

Es una receta dedicada a mi querido y gran amigo Luis Rusconi. Este chancho es un clásico de mi cocina. Fue pensado y realizado en 1969, en "La Chimère" y desde entonces siempre estuvo en los menús de mis restaurantes. Hoy en "Clark's", Recoleta.

4 personas
Tiempo de preparación: 20 minutos
Tiempo de cocción: 50 minutos

Ingredientes

1 carré de 2 kg
200 g de azúcar
½ litro de cerveza
1 copa de miel de abeja
3 copas de vino blanco
2 cucharadas de sopa, de maicena

Guarnición para las croquetas

½ kg de batatas
1 copa de crema de leche
1 copa de vino blanco
50 g de azúcar

Guarnición para el puré de manzanas

6 manzanas verdes
50 g de azúcar
1 copa de vino blanco

Preparación

1) Deshuesar el chancho. Espolvorear con azúcar y dorar con un poco de grasa en horno moderado.

2) Mientras el chancho se va dorando, hacer un puré con las batatas y otro con las manzanas, el vino blanco y los 50 g de azúcar.

3) Hacer una salsa con la miel, la cerveza (sacando su espuma con un hervor suave); ligar con la fécula, disuelta en vino blanco. Agregar el azúcar y cocinar por 5 minutos.

4) Moldear el puré de batatas, crema, vino blanco en croquetitas del tamaño de un damasco, hacerles una cavidad en la parte superior poniendo allí dentro los 50 g de azúcar y un poco de crema. Hornear a calor moderado hasta que gratine y glasee.

Cortar el chancho en tajadas bien grandes, napar con toda la salsa y decorar con las croquetitas por un lado y por el otro el puré de manzana sobre hojas de lechuga bien verdes y frescas.

Carne de chancho con salsa de naranja, limón y mandarina

4 personas
Tiempo de preparación: 20 minutos
Tiempo de cocción: 40 minutos

Ingredientes

1 carrré deshuesado condimentado
1 lata de cerveza
Jugo de 6 mandarinas
Jugo de 8 naranjas
Jugo de 4 limones
½ kg de azúcar
2 copas de triple sec
4 naranjas
2 copas de vino blanco
2 manzanas
1 copa de azúcar
30 g de manteca
Fécula

Preparación

1) Hornear el carré con cerveza. Retirarlo 5 minutos antes que termine su cocción a fuego bajo.

2) Mientras tanto, hacer un caramelo con el azúcar. Luego agregarle los jugos de las frutas y bastoncitos iguales y parejos de cáscara de una naranja, de una mandarina y de un limón. Que no tengan más de 1 mm de ancho. Y que se habrán cocinado en una sartén con manteca y jugo de naranjas. Espesar con fécula y agregar el triple sec.

3) Cortar el carré en 8 tajadas grandes. Colocar la salsa en una cacerola con el chancho y mantenerla caliente hasta el momento de servir. De esa manera se mojará bien en la salsa.

4) Pelar las manzanas, retirar el centro y cortarlas en tajadas de 1 cm de ancho. Ponerles un poco de manteca, azúcar por encima y colocarlas en una fuente de hornear. Cocinarlas hasta que el azúcar se deshaga. Acompañar el chancho con estas manzanas. El chancho no debe estar muy cocido, diría que algo más cocido que rosado.

Presentación

Decorar con rodajas de naranjas despepitadas. Yo con esto tomaría mucho vino rosado frío y seco.

Chancho y uvas

4 personas
Tiempo de preparación: 30 minutos
Tiempo de cocción: 140 minutos
Marinada: 24 horas

Ingredientes

1,800 kg de lomo de chancho
Sal y pimienta negra recién molida
3 cucharadas de gin
1,5 dl de jugo de uva
1,5 dl de vino blanco seco
3 cucharadas de manteca
2 cucharadas de harina

Marinada

8 frutillas aplastadas
2 clavos de olor en polvo
1 diente de ajo aplastado
3 cucharadas de aceite de oliva
½ litro de vino blanco seco

Guarnición

2 cucharadas de manteca
½ kg de uvas blancas sin semillas

Preparación

1) Deshuesar y atar la carne.

2) Combinar los ingredientes de la marinada y cubrir la carne. Colocarla en una fuente profunda en la base de la heladera por 24 horas girando ocasionalmente.

3) Calentar el horno a temperatura moderada (190°).

4) Escurrir el chancho reservando la marinada en una asadera. Salpimentar el chancho. Verter aproximadamente 1,5 dl de agua fría alrededor de él y hornearlo rociándolo de tanto en tanto hasta que esté totalmente cocido pero jugoso. Tardará alrededor de 35 minutos por cada 450 gramos.

5) Diez minutos antes de sacar el chancho del horno preparar la guarnición: derretir la manteca en una sartén grande, saltear las uvas por 4 ó 5 minutos hasta que estén de un color marrón dorado. Reservarlas.

6) Cuando el chancho esté cocinado llevarlo a una fuente caliente y resistente al fuego. Derramar el gin sobre el chancho y flambear.

7) Eliminar la grasa del jugo que quedó en la asadera. Verter en la asadera todos los jugos que se hayan formado alrededor del chancho flambeado y llevar el chancho en la fuente donde fue flambeado al horno apagado, para mantenerlo caliente.

8) Para terminar la salsa, agregar el jugo de uva y el vino blanco a la asadera que tenía la marinada y el gin, y hacerla hervir sobre fuego vivo, raspando la base y costados de la asadera con una cuchara de madera para despegar todo lo adherido. Dejar hervir a fuego suave 3 minutos.

9) Mientras tanto, trabajar la manteca y la harina formando una masa suave en un bol (manteca manié).

10) Pasar por cedazo o por un colador chino la salsa, agregarla a la sartén con las uvas salteadas. Llevar a fuego suave. Agregar la manteca manié revolviendo continuamente hasta que la salsa rompa en hervor. Dejar hervir por 4 minutos para que la harina se cocine. Salpimentar.

11) *Para servir*: Colocar la salsa y las uvas sobre el chancho y a su alrededor.

Lomo de chancho, gruyère y mostaza

Esta receta fue preparada para el "Drugstore de la Recoleta", 1973.

4 personas
Tiempo de preparación: 30 minutos
Tiempo de cocción: 40 minutos

Ingredientes

4 lomitos de chancho (los lomos, no el carré)
50 g de panceta ahumada
50 g de manteca
150 g de crema de leche
4 cucharadas de mostaza tipo Dijon con pimienta negra en grano
1 copa de vino blanco sauternes
150 g de gruyère en láminas finas
2 cucharaditas de té, de romero picado fresco

Guarnición

8 vol-au-vent chicos
1 taza de granos de choclo
1 cucharada de curry fuerte y perfumado
50 g de crema de leche

Preparación

Dado que no es fácil conseguir los lomitos (pedir al carnicero y reservarlos) se puede reemplazar por un carré deshuesado, que no es lo mismo, pues los lomitos son mucho más secos y de rápida cocción.

1) En una sartén dorar los lomitos con manteca, y la panceta, haciéndolos rodar continuamente.

2) Mientras se cocinan los lomos, hacer una salsa de crema mezclándola con el vino blanco, la mostaza con pimienta negra en grano y el romero.

3) Colocar los lomitos en una fuente de hornear, mojar con la salsa y cubrir con láminas de gruyère. Llevar al horno caliente y gratinar.

4) Mientras tanto, se habrá preparado el relleno de los vol-au-vent mezclando el choclo, la crema y el curry. Rellenar los vol-au-vent y hornear junto a los lomitos.

Lomitos de chancho con tocino ahumado

4 personas
Tiempo de preparación: 18 minutos
Tiempo de cocción: 25 minutos

Ingredientes

8 lomitos de 160 g cada uno aproximadamente
16 fetas de tocino ahumado de 2 mm de espesor
160 g de manteca
4 papas medianas
200 g de grasa de cerdo
Hojas de salvia fresca
Sal, coriandro molido y pimienta de Cayena a gusto
2 cucharadas de perejil picado y fines herbes
Jugo de un limón

Guarnición

Cocinar las papas en agua hirviendo 12 minutos. Retirar, pelar y cortar en rodajas gruesas, cocinar en sartén con grasa de cerdo hasta que estén doradas, retirar la grasa, agregar la salvia y condimentar con sal y pimienta blanca. Preparar la manteca, mezclándola con el perejil, las hierbas y el limón. Moldear en forma de cilindro, dejar 10 minutos en el freezer.

Preparación

Limpiar los lomitos: que queden sin nervios ni grasa. Enmantecar y condimentar con coriandro, sal y Cayena. Envolver con 2 fetas de tocino y sujetar éste con escarbadientes. Asar en la parrilla a fuego moderado durante 25 minutos.

Colocar 2 lomitos en cada plato y en uno de los lados 4 o 5 rodajas de papas y en el otro 2 rodajas de manteca con hierbas sobre rodajas de limón u hojas de lechuga.

Costillas de chancho con ciruelas y salvia

4 personas
Tiempo de preparación: 15 minutos
Tiempo de cocción: 20 minutos

Ingredientes

8 costillas de chancho
16 ciruelas pasas remojadas
1 cebolla chica picada
100 g de manteca
1 cucharadita de té, de extracto de carne
½ cucharada de postre, de salvia

Salsa

3 tazas de caldo de carne concentrado sin sal, trabado con manteca en roux oscuro.

Guarnición

1 tazón de puré duquesa
Perejil picado
4 ciruelas frescas

Preparación

1) Dejar las costillas con la carne del carré solamente y el resto bien recortado; hacer una incisión como para rellenar. Introducir en cada una de ellas dos ciruelas sin carozo.

2) Colocar la manteca en la sartén y dorar la cebolla, luego las costillas, agregar el extracto de carne, el caldo y la salvia.

Presentar con copos de duquesa y perejil y gajos de ciruelas frescas.

Costillas de chancho con gruyère

4 personas
Tiempo de cocción: 1 hora

Ingredientes

4 costillas de chancho de buen tamaño
½ kg de queso gruyère fileteado
3 cucharadas de crema de leche
4 cucharadas de mostaza Dijon
Sal, pimienta negra recién molida
1 cucharada de vinagre de eneldo

Preparación

1) En una sartén dorar las costillas salpimentadas, retirarlas todavía rosadas.

2) Colocarlas en una fuente de hornear, untarlas con la mostaza, cubrir con el queso y la crema.

3) Una vez que el queso tome color dorado, retirar las costillas y mantener en lugar caliente; mientras tanto, se colocará la asadera sobre un fuego de hornalla para reducir, desglaseando previamente con el vinagre.

4) Napar las costillas y servir muy calientes.

Pierna de cordero (ajo, limón y perejil)

4 personas
Tiempo de preparación: 40 minutos
Tiempo de cocción: 90 minutos

Ingredientes

1 pierna de cordero de 1,500 a 1,800 kg
3 cucharadas de manteca
750 g de papas peladas y cortadas en láminas
Sal y pimienta negra recién molida
3 dl de caldo de ave concentrado
6 dientes de ajo finamente picados
6 cucharadas de miga de pan fresco
6 cucharadas de manteca ablandada
Jugo de limón
Sal y pimienta negra recién molida
Perejil

Preparación

1) Enmantecar una cacerola poco profunda o una fuente para gratinar lo suficientemente larga como para que entre cómodamente la pierna de cordero.

2) Pelar y cortar las papas en láminas gruesas y acomodarlas en el fondo de la fuente superponiéndolas en filas. Salpimentar.

3) Ubicar el cordero sobre las papas y humedecerlas con el caldo.

4) Asar el cordero en un horno calentado a 230°C por 15 minutos, luego bajar la temperatura (170°C) hasta que esté rosado y tierno.

5) Aderezo: hacer una masa suave de ajo finamente picado, perejil, miga de pan fresco, manteca, jugo de limón y sazonar a gusto con sal y pimienta negra recién molida.

6) A mitad de la cocción del cordero, retirarlo y untarlo con la masa suave anteriormente preparada y retornarlo al horno.

Grandes medallones de pierna de cordero y salsa de estragón

4 personas
Tiempo de preparación: 10 minutos
Tiempo de cocción: 30 minutos

Ingredientes

1 pierna de cordero de 2 kg aproximadamente
150 g de manteca, 200 cm^3 de crema
2 cucharadas de estragón fresco picado
6 papas
3 tazas de caldo concentrado, 3 cucharadas de roux oscuro
Pimienta negra, 2 cucharadas de pimienta verde
2 cucharadas soperas de salsa de soja
1 copa de cognac
½ cebolla picada

Preparación

1) Cortar la pierna de cordero en forma oblicua de manera que salgan 4 medallones grandes; salar.

2) Cocinar a la parrilla.

3) Preparar la guarnición lavando las papas con piel y cortando rodajas a lo largo de 1,5 cm de espesor.

4) Lavar, secar, salar, napar de manteca y poner en la parrilla marcando de los dos lados, retirar y terminar la cocción al horno con estragón y pimienta verde.

5) Poner en una sartén amplia 70 g de manteca y rehogar la cebolla. Agregar los medallones y flambear con cognac, incorporar el caldo, la crema, la pimienta negra, salsa de soja y ligar con roux oscuro. Terminar con trocitos de manteca.

6) Servir 1 medallón por persona, napado con salsa y acompañado por 3 rodajas de papas.

Silla de cordero rellena

Plato típico de los "Clark's", ya era de "La Chimère" y del "Drugstore".

4 personas
Tiempo de preparación: 30 minutos
Tiempo de cocción: 40 minutos

Ingredientes

1 silla de cordero
2 morrones frescos de la estación
300 g de panceta ahumada cortada en fetas muy delgadas
1 ramo de menta verde fresca
Perejil
½ vaso de aceite de oliva
Sal, pimienta negra recién molida

Salsa de menta

3 cucharadas soperas de menta bien picada
1 a 2 copas de vinagre
2 cucharadas de azúcar (opcional)

Preparación

1) Deshuesar la silla de cordero y estirarla sobre la mesa, salpimentar y cubrirla con la panceta, los morrones, la menta y el perejil.

2) Arrollarla atándola y separando las porciones con cada ligadura, de aproximadamente tres centímetros.

3) Cortar en rodajas las porciones, pintarlas con el aceite de oliva y cocinar a la parrilla a fuego no muy fuerte, dándole una sola vuelta.

4) Servir bien caliente con una guarnición de tomates grillé y salsa de menta.

El cordero debe servirse un poco rosado.

Costillitas de cordero horneadas con salsa de menta

4 personas
Tiempo de preparación: 20 minutos
Tiempo de cocción: 35 minutos

Ingredientes

2 carrés enteros (unas 20 costillas)
50 g de manteca
1 cucharada de salvia picada
1 cucharada de romero picado
2 cucharadas de mostaza Dijon

Preparación de salsa de menta atípica

1 taza de vinagre blanco
2 cucharadas de azúcar
1 copa de vino blanco
½ copa de agua
Dejar hervir 15 minutos y agregar:
½ taza de hojas de menta picadas finas. Prolongar el hervor por 10 minutos y dejar enfriar y reposar. Se puede guardar en un frasco bien tapado.

Guarnición

8 papas
100 g de tocino fresco
1 cucharada de salvia fresca picada
Hervir las papas, luego pelarlas y cortarlas desparejas. Saltearlas en una sartén con el tocino. Al final agregar la salvia.

Preparación

1) Untar los costillares con la mostaza y espolvorear con las hierbas. Enmantecar y hornear 20 minutos: deben quedar rosados. Si es posible, hacer dos coronas con los costillares antes de hornearlos.

2) Al servir presentar las coronas o los costillares enteros, mojarlos con la salsa y acompañar con las papas bien crocantes por fuera. Cortar las costillas en la mesa.

Brochette de cordero

4 personas
Tiempo de preparación: 20 minutos
Tiempo de marinada: 24 horas
Tiempo de cocción: 25 minutos

Ingredientes

1 kg de carne de las patas
4 pequeños ajíes verdes, eliminar las semillas y parte superior o cortar 4 cuadrados de cada uno
4 tomates, 2 zanahorias en rodajas
12 cabezas de champiñones

Marinada

6 cucharadas de aceite de oliva
1 copa de jerez
2 dientes de ajo finamente picados
2 cucharadas de perejil picado
1 cucharadita de té, de orégano
Sal y pimienta negra recién molida

Preparación

1) Mezclar los ingredientes de la marinada en un bol. Cortar la carne en cubos de 2,5 cm y agregarlos a la marinada, asegurándose que cada trozo de carne esté totalmente cubierto. Tapar el bol con un plato y poner en la heladera de 12 a 24 horas. Revolver la carne varias veces.

2) Cuando esté lista para cocinar, disponer la carne en cuatro pinchos largos alternándola con ajíes verdes, tomates, rodajas de zanahorias y cabezas de champiñones.

3) Pincelar la carne y los vegetales con la marinada y cocinar sobre carbón o una parrilla, girando los pinchos frecuentemente y mojando con la marinada varias veces durante la cocción.

Cordero con manteca de hierbas

4 personas
Tiempo de preparación: 20 minutos
Tiempo de cocción: 30 minutos

Ingredientes

1 pierna de cordero de 2 kg aproximadamente
4 cucharadas de vinagre de estragón
3 tazas de caldo concentrado de carne
200 g de manteca
2 cucharadas de jugo de limón
2 cucharadas de hierbas aromáticas
1 cucharadita de curry
3 tazas de puré de espinacas
3 huevos
2 blancos de puerro bien picados
150 g de pan rallado, 3 cucharadas de roux oscuro
Sal, pimienta, aceite

Preparación

1) Cortar cuatro medallones de carne en forma oblicua, de manera que salgan grandes y parejos.

2) Colocar 50 g de manteca en una sartén y cuando esté caliente saltear los medallones con sal y pimienta. Cuando estén dorados sacar y conservar al calor.

3) Desglasear la sartén con vinagre de estragón, agregar el caldo y dejar cocinar 8 minutos aproximadamente. Agregar una cucharada de manteca y el roux.

4) En otra sartén dorar el puerro con un poquito de manteca, agregar los huevos y el puré de espinacas, sacar del fuego, revolver bien e ir haciendo croquetas del tamaño de una nuez, que se freirán inmediatamente en abundante aceite, pasando antes por pan rallado.

5) Colocar en cada plato un medallón napado con la salsa y 3 ó 4 croquetas como acompañamiento. Sobre cada medallón 2 rodajas de manteca de hierbas.

6) La manteca de hierbas se prepara mezclando 100 g de manteca con las hierbas, el curry y el jugo de limón, formando un cilindro de 3 cm de diámetro sobre un papel de aluminio, llevándolo al frío y cortándolo en el momento de servir.

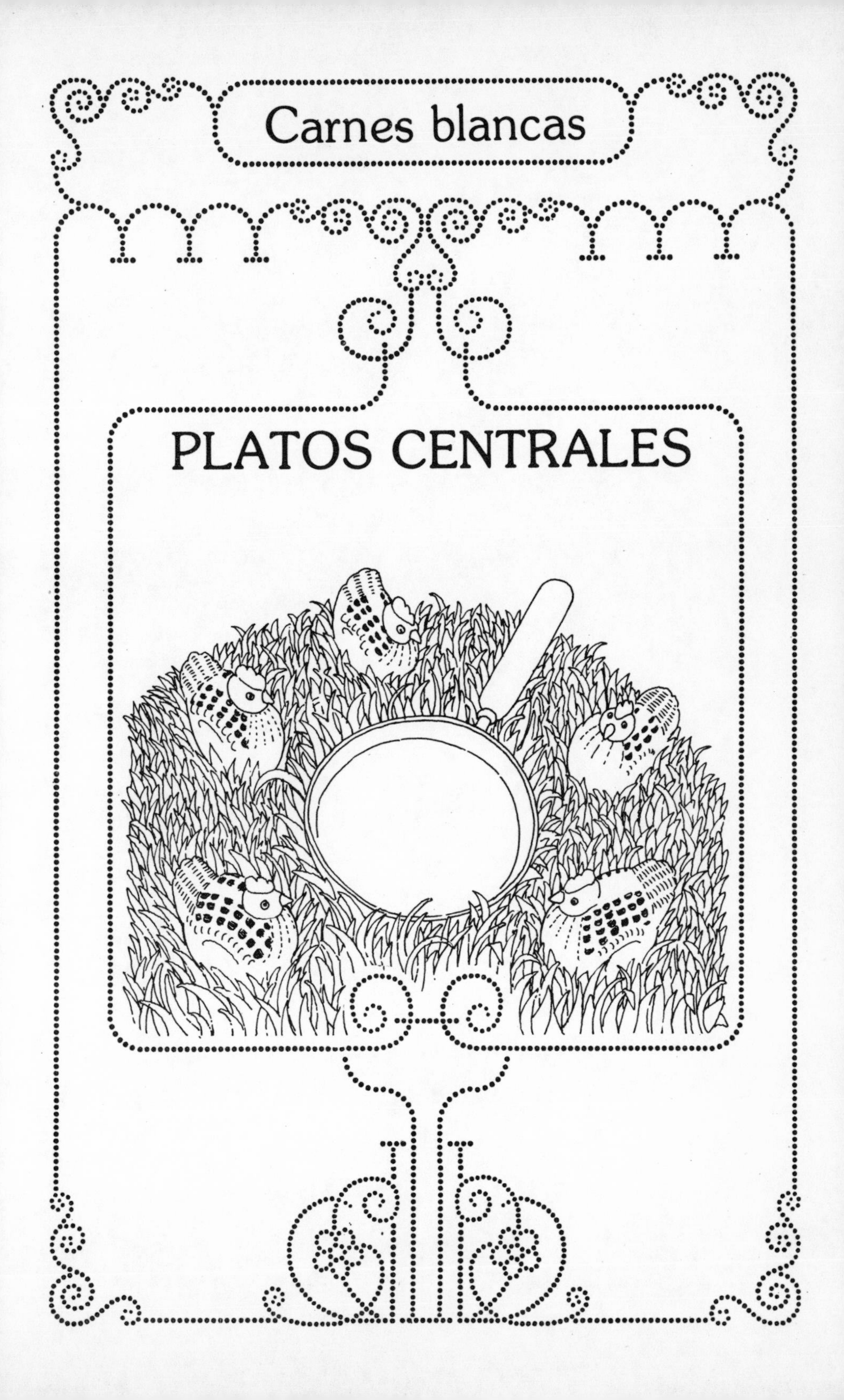
Carnes blancas
PLATOS CENTRALES

Suprema Brighton "Clark's"

4 personas
Tiempo de preparación: 20 minutos
Tiempo de cocción: 25 minutos

Ingredientes

4 supremas tamaño mediano
100 g de queso gruyère
4 fetas de jamón cocido
Pasta para freír (125 g de harina, sal, aceite, 2 dl de agua y agregar en el momento de usar 2 claras batidas a nieve)

Guarnición

4 rodajas de ananá
4 trozos de palmitos
Cada rodaja de ananá se pasa por pasta de freír y se fríe

Preparación

Extender las supremas sobre la mesa. Cortar el queso en cuatro partes iguales y rodear cada una con una feta de jamón. Envolver este queso y jamón con la suprema y trabar con un escarbadiente. Pasar cada suprema por la pasta de freír y cocinar a fuego moderado en fritura con mucho aceite.

Presentación

Para cada plato se coloca una suprema y una rodaja de ananá cortada al medio y también un trozo de palmito pasado por agua caliente.

Decorar con hojas de perifollo.

Pechugas dobles rellenas con espinaca, crema y hongos

Fueron servidas para 1.000 personas en el Sheraton el día del restaurateur, y en Chile durante la semana de la Nueva Cocina Argentina. Actualmente tiene mucho éxito en el menú del "Gato".

4 personas
Tiempo de preparación: 20 minutos
Tiempo de cocción: 25 minutos
Tiempo de preparación de la salsa: 10 minutos
Tiempo de cocción de la salsa: 30 minutos

Ingredientes

4 pechugas dobles (300 g cada una)
250 g de espinacas picadas finas (hervidas)
80 g de paté de hígado de ave
2 huevos
1 cebolla picada fina
Salsa inglesa
Pimienta negra recién molida
1 cucharada de ciboulette muy picada
50 g de manteca

Ingredientes de la salsa

½ cebolla rallada
½ botella de champagne seco
½ litro de crema de leche
¼ taza de harina
¼ taza de aceite de maíz
50 g de hongos secos
2 cucharadas de ciboulette picada fina (fresca)
Pimienta negra recién molida

Preparación de la salsa

1) Rehogar la cebolla en 2 cucharadas de aceite, agregar la pimienta y el champagne, hervir 15 minutos.

2) Hacer un roux blanco con la harina y el aceite restante, echar la salsa al roux, espesar por 8 minutos.

3) Agregar la crema, batir, llevar a un hervor.

4) A último momento agregar los hongos secos, ya remojados, ablandados y picados muy grueso y la ciboulette picada.

Preparación

1) Preparar una pasta con la espinaca, paté, huevos y cebolla; se agrega ciboulette, salsa inglesa y pimienta.

2) Deshuesar y rellenar con esta pasta las dobles pechugas.

3) Colocarlas en una asadera enmantecada. También enmantecar las pechugas, cocinarlas y dorarlas, sin dejar que se sequen.

Servir con mucha salsa napada y papas naturales de un lado y 2 zanahorias en bastones del otro.

Pechugas dobles con mousse de jamón y champiñones

4 personas
Tiempo de preparación: 20 minutos
Tiempo de cocción: 20 minutos

Ingredientes

4 pechugas
1 taza de aceite
100 g de jamón cocido
2 echalotes picados
200 g de manteca
3 huevos
8 champiñones medianos
1 cucharada sopera de ciboulette picada
1 cucharada de estragón picado
Sal y pimienta negra
Harina

Salsa

Preparar la salsa con fondo de cebollas de verdeo, agregar 2 vasos de vino blanco, dejar reducir y agregar 350 cm^3 de crema y ½ cucharadita de café, con glace de viande. Ligar con 3 cucharadas soperas de roux blanco, condimentar con eneldo y curry a gusto.

Preparación

1) Deshuesar sin separar las pechugas en forma que queden dos supremas juntas.

2) Preparar la mousse con fondo de ciboulette, manteca y echalotes, agregando el jamón cortado en trozos, las yemas y condimentar con estragón, sal y pimienta negra.

3) Pasar todo por la picadora y añadir las claras batidas a nieve y los hongos cortados en fetas y salteados.

4) Mezclar todo y rellenar con esto las supremas. Se coloca el relleno en una de ellas y con la otra se tapa y se une con dos escarbadientes.

5) Se pasa cada suprema ligeramente por harina y se fríen en mitad aceite y mitad manteca, hasta que queden doradas.

Presentación

Cada plato con una suprema doble, napada con salsa, a un lado 3 cebollas pequeñas glaseadas en marsala, azúcar, caldo de carne, 1 cucharada de extracto de carne, y al otro 2 cucharadas soperas de puré de espinacas caliente.

Pechugas dobles naranjeras

4 personas
Tiempo de preparación: 30 minutos
Tiempo de cocción: 40 minutos

Ingredientes

4 pechugas dobles
50 g de manteca
3 copas de vino blanco
Sal y pimienta

Salsa de naranjas

200 g de azúcar
4 tazas de jugo de naranja
2 cucharadas de juliana de cáscara de naranja
2 copas de Grand Marnier
1 cucharada de fécula disuelta en vino blanco

Preparación

1) Hornear las cuatro pechugas dobles con manteca y vino blanco, sal y pimienta.

2) Cuando falten 7 minutos para su cocción, retirarlas del horno y sacarles la piel.

3) Sumergirlas en la salsa y terminar la cocción.

4) Servir acompañadas de gajos fríos de naranjas y muy mojadas con la salsa.

5) Preparar la salsa haciendo primero un almíbar a punto de caramelo, agregando luego el jugo de naranjas y la juliana de cáscaras. Cocer 15 minutos, incorporar el Grand Marnier y ligar con la fécula.

Pollo con manzanas y uvas verdes

4 personas
Tiempo de preparación: 15 minutos
Tiempo de cocción: 50 minutos

Ingredientes

1 pollo grande (1,800 kg) o 2 pollos chicos (1,100 kg cada uno)
200 g de jamón crudo cortado en dados
1 cebolla finamente picada
1 diente de ajo finamente picado
2 cucharadas de manteca
2 cucharadas de aceite de oliva
6 manzanas pequeñas verdes, peladas, descorazonadas y en rodajas gruesas
1 copa de Cointreau o Triple Sec
2 tazas de uvas verdes peladas y despepitadas
3 dl de crema
Sal y pimienta negra recién molida

Preparación

1) Saltear los dados de jamón, la cebolla picada, ajo picado, en la manteca y el aceite de oliva hasta que se doren. Sacar del fuego y reservar.

2) Dorar el pollo por todos sus lados en la resultante mezcla de grasas. Retirar del fuego y mantener caliente.

3) Saltear las manzanas y las uvas en el resto de la grasa hasta que comiencen a estar doradas. Agregar el Cointreau. Sacar las manzanas de la cacerola y desgrasar los jugos.

4) Poner nuevamente el pollo en la cacerola, rodearlo con las rodajas de manzana, uvas, jamón, cebolla y ajo, calentar a fuego suave por 10 minutos tapando la cacerola.

5) Agregar la crema, sal, pimienta, cubrir la cacerola y seguir cocinando en horno muy suave (140°) hasta que el pollo esté tierno.

6) Cuando esté listo para servir, poner el pollo y los dados de jamón en una cacerola manteniendo caliente. Hacer un puré con las manzanas y la salsa. Corregir el aderezo, recalentar la salsa y volcarla sobre el pollo junto con las uvas.

Servir inmediatamente.

Pollos en camisa

4 personas
Tiempo de preparación: 30 minutos
Tiempo de cocción: 40 minutos

Ingredientes

1 pollo horneado, sin piel y deshuesado
4 zócalos de jamón cocido de 7 cm x 7 cm y 1 cm de altura
2 cucharadas de paprika
1 taza de crema
1 cucharada de curry liviano
½ cebolla picada y rehogada
1 taza de champiñones picados y rehogados
4 yemas de huevo
1 copa de vino blanco

Medio hojaldre

300 g de harina
150 g de manteca
Sal, pimienta
1 cucharada de agua fría

Preparación

1) Cortar la masa en 4 pedazos de 22 cm x 22 cm, sobre ella y en el medio, colocar el zócalo de jamón, cebolla, pollo, champiñones. Todos estos ingredientes mojados con la salsa hecha con paprika, crema, curry y vino blanco.

2) Cerrar la masa como si fuera un paquete y hacerle una chimenea en la parte superior. Pincelarla con las yemas.

3) Hornear a fuego moderado, vertiendo salsa por la chimenea. Retirar cuando la masa esté bien dorada y cocida.

4) Acompañar con zanahorias y papas en bolitas hervidas.

Pollos con langostinos y cremas

4 personas
Tiempo de preparación: 20 minutos
Tiempo de cocción: 20 minutos

Ingredientes

4 supremas grandes o patas sin piel ni huesos
2 huevos
3 tazas de crema
200 g de manteca
½ taza de aceite
1 taza de caldo concentrado
1 cucharadita de café, de mejorana
1 cucharadita de café, de mostaza inglesa
4 corazones de alcauciles tiernos cocinados en agua y limón
1 taza de pan rallado
24 langostinos grandes pelados con cabeza y sin cola
1½ taza de leche con ½ cucharadita de café, de pimienta
2 cucharadas de ciboulette picada
Sal
Jugo de limón
Hojas de perifollo

Preparación

1) Pasar el pollo por picadora, disco fino, y colocar en un bol 1 taza de crema, mejorana y sal, batir ligeramente y agregar el pollo y los huevos.

2) Mezclar todo y moldear en forma de medallón con un hueco en el medio de manera que se pueda introducir allí el alcaucil y cocinar al horno a bañomaría durante 15 minutos a fuego moderado.

3) Poner los langostinos en leche durante 8 minutos, para que se remojen bien, luego retirar y pasar por pan rallado. Freír en manteca y aceite hasta que estén bien dorados.

4) Hacer un fondo con 2 cucharadas de manteca y 1½ cucharada de ciboulette, agregar el caldo y luego la mostaza inglesa, la crema y dejar reducir, terminar con nuez de manteca y gotas de limón.

Presentación

Cada plato debe ir con salsa en el fondo y al medio el pollo con el alcaucil al centro y 6 langostinos puestos con la cabeza hacia afuera. Decorar con hojas de perifollo.

Pollos rellenos con langostinos

4 personas
Tiempo de preparación: 15 minutos
Tiempo de cocción: 30 minutos

Ingredientes

8 pechugas abiertas chicas

Relleno

50 g de manteca
150 g de colas peladas de langostinos
1 zanahoria
½ cebolla
16 cabezas de champiñones
Sal y pimienta negra recién molida
Jugo de 1 limón
1 cucharadita de té, de estragón picado
50 g de panceta
4 flores de tomillo

Para la cocción de las pechugas

50 g de manteca
Sal y pimienta negra recién molida
2 copas de vino blanco
½ cebolla muy picada
½ taza de crema de leche
¼ taza de almendras tostadas y en tiritas

Guarnición

Lechugas cocinadas al vapor.

Preparación del relleno

1) Derretir la panceta con un poco de manteca. Añadir la zanahoria; luego la cebolla; al final los champiñones en juliana, las especias, hierbas y por último el jugo de limón.

2) Al terminar agregar las colas de langostinos y más manteca.

Preparación y cocción del pollo

1) En una asadera colocar la manteca en pequeños cubitos, vino, sal, pimienta negra recién molida.

2) Llevar a fuego de hornalla y cocinar la cebolla.

3) Rellenar las pechugas haciéndoles una abertura.

4) Colocarlas en la asadera y llevar al horno.

5) A último momento agregar la crema y las almendras.

6) Retirar y servir sobre un colchón de lechuga cocinada al vapor y napada con la salsa.

Escalopes de pollo, timbal de queso

4 personas
Tiempo de preparación: 30 minutos
Tiempo de cocción: 30 minutos

Ingredientes

8 fetas de panceta ahumada
1 cucharadita de café, de salvia
4 supremas grandes sin huesos
Pimienta negra recién molida
4 timbalitos de queso, 24 puntas de espárragos
16 langostinos pelados sin cabezas y sin colas
1 cucharada de ciboulette picada
2 tazas de crema, 1 cucharada de manteca
Hojas de berro, perejil, albahaca, pimienta verde, blanqueadas y licuadas con jugo de limón

Salsa

Colocar en una sartén la manteca y la ciboulette, echar los langostinos y después la crema, dejar reducir y agregar el licuado verde.

Preparación

1) Poner sobre la mesa las supremas de a dos, una al lado de la otra, tratando de que formen una superficie cuadrada. Extender sobre ellas la panceta, y condimentar con la salvia y pimienta negra.

2) Envolver de forma que queden como rollitos largos. Cubrir con papel metálico y cocinar a bañomaría (placa con agua) en horno a fuego suave durante 20 minutos. Dejar enfriar, una vez desenvueltas, en lugar fresco.

3) Poner en cada plato un timbal en el borde, 3 espárragos a cada lado y 5 rodajitas de pollo de 1½ cm de espesor alrededor del fondo del plato. Calentar en salamandra y decorar con langostinos y salsa.

Piernas de pollo rellenas

4 personas
Tiempo de preparación: 20 minutos
Tiempo de cocción: 30 minutos

Ingredientes

4 piernas grandes de pollo
1 cucharadita de café, de pimienta negra recién molida
3 cucharadas de cebolla picada y rehogada
1 taza de queso fresco en cubitos
2 copas de vino Merlot
1 cucharada de harina
½ taza de hongos secos remojados y picados
6 fetas de panceta ahumada
2 tazas de arroz blanco (cocido)

Preparación

1) Deshuesar las piernas, sin romper la piel y espolvorear con pimienta en polvo. Saltear 6 fetas de panceta ahumada picada gruesa.

2) Rellenar las piernas con cebolla rehogada y queso fresco en cubitos, cerrar bien con escarbadientes y cocinar a horno moderado. Luego retirar y sacar los escarbadientes, llevar la asadera sobre los quemadores de la cocina, verter 2 copas de vino Merlot, harina y raspar con una cuchara de madera. Agregar los hongos y panceta, seguir cocinando y si está muy espesa agregar un poco de vino y otro poco de agua.

3) Al servir napar con esta salsa las patas y acompañar con arroz blanco.

Jambonón de pollo, hongos secos y espinaca

Menú del mediodía del Restaurante "Gato Dumas".

Son piernas de pollo, deshuesadas y rellenas con una farce de ave y verduras. Cocinadas en horno con vino blanco. Cuando se sirven se colocan sobre un colchón de espinacas y con abundante salsa de champagne y hongos secos remojados.

4 personas
Tiempo de preparación: 50 minutos
Tiempo de cocción: 45 minutos

Ingredientes

6 piernas de pollo grandes y deshuesadas (sin romper la piel)

Farce

4 cucharadas de espinaca molida
2 cucharadas de cebolla picada y rehogada
Sal y pimienta negra recién molida
2 copas de vino blanco seco
16 hojas de espinaca cocidas crocantes
6 salchichitas chipolatas

Salsa

2 cucharadas de cebolla picada fina
2 cucharadas de manteca
3 copas de champagne seco
Sal y pimienta blanca
8 bolitas de manteca manié
300 cm^3 de crema de leche
¼ taza de hongos secos remojados

Preparación de la salsa

Hacer un fondo con la cebolla picada, la manteca y rehogar bien, agregar el champagne y los hongos picados. Condimentar con sal y pimienta y ligar con la manteca manié. Al final agregar la crema y cocinar lentamente por 15 minutos.

Preparación

1) Deshuesar las 6 piernas y rellenar 4 de ellas con la farce; cocinar en horno, quitarles la piel y deshuesarlas. Pasar la carne de 2 piernas por un disco fino y juntar con los otros elementos; mezclar bien y rectificar los condimentos. Luego rellenar las otras 4 piernas con esta pasta y cerrar con escarbadientes. Hornear con el vino blanco.

2) Presentar con hojas limpias de espinaca ligeramente cocidas (que queden crocantes) colocadas en forma de colchón en la base de la fuente.

Pavos en cassis

4 personas
Tiempo de preparación: 20 minutos
Tiempo de cocción: 15 minutos

Ingredientes

8 fetas de blanco de pavita
4 cucharadas de cassis
6 cucharadas de vino blanco
4 cucharadas de azúcar
1 huevo
100 g de pan rallado
4 tarteletas chicas
1 cucharadita de café, de curry
Puré de 3 papas grandes
1 cucharadita de té, de fécula
2 cucharadas de vino tinto
½ cucharadita de café, de colorante vegetal colorado
4 tazas de caldo concentrado
1 cucharada de salsa de soja
Manteca
Aceite

Preparación

1) Hacer la salsa con el caldo concentrado y la soja, ligar con fécula y vino tinto y terminar con nuez de manteca, 2 cucharadas de cassis y 2 cucharadas de azúcar más 3 gotas de colorante colorado vegetal.

2) Poner dentro de la salsa las fetas de pavita y dejar 3 minutos a fuego suave.

3) Preparar 8 croquetas en forma de pequeñas peras con el puré, el huevo y el curry, luego panar y freír en aceite.

4) En un pequeño recipiente colocar vino blanco y azúcar, preparar un almíbar (que tome color brillante) y agregar 2 cucharadas de cassis, ligar con fécula y vino tinto.

Presentación

Presentar en cada plato 2 fetas de pavo napadas en salsa y, de un lado, 2 croquetas de papa con curry y del otro una tarteleta con cassis en almibar.

Pavos y castañas

4 personas
Tiempo de preparación: 10 minutos
Tiempo de cocción: 30 minutos

Ingredientes

8 tajadas de blanco de pavo o pavita
1 taza de azúcar
6 castañas en almíbar picadas
6 copas de vino Fritzwein
16 castañas enteras
16 croquetas de puré de batatas con crema, curry, sal y pimienta negra recién molida

Guarnición

Hacer un puré con 1 kg de batatas, agregar 50 g de crema, sal, pimienta y una cucharadita de café, de curry mild. Hacer 16 croquetas del tamaño de un durazno chico, espolvorear con azúcar y llevar al horno hasta que el azúcar se dore.

Preparación

1) Preparar un caramelo con una taza de azúcar, agregar las castañas (usar el jugo del frasco de las castañas), verter el vino y dejar hervir suavemente por 10 minutos. Ligar si hace falta.

2) Calentar las 8 castañas restantes.

3) Cocinar al horno las tajadas de pavo, retirarlas, naparlas con la salsa y encima de cada una colocar dos castañas enteras y dos croquetitas de cada lado.

Pavo deshuesado relleno

10 personas
Tiempo de preparación: 30 minutos
Tiempo de cocción: 50 minutos

Ingredientes

1 pavo de 5,500 kg
2 tazas de castañas en almíbar
2 tazas de cerezas de estación
10 fetas de pan lactal remojado en leche
3 huevos
1 cucharadita de té, de comino en polvo
50 g de manteca
2 cucharadas de cognac
Sal y pimienta negra recién molida

Salsa

1) Preparar una salsa con 1 litro de caldo de verduras, un frasco de mermelada de frambuesas de 800 cm^3 aproximadamente y el comino. Mezclar todo, dejar cocinar y reducir 18 minutos y ligar con fécula y vino tinto.

2) Agregar 60 g de azúcar y 3 gotas de colorante vegetal colorado, dejar 3 minutos y retirar. Dejar reposar 6 minutos y servir.

Guarnición

Pequeñas tarteletas con frambuesas de estación preparadas en un almíbar liviano ligado ligeramente con fécula y vino tinto.

Preparación

1) Deshuesar el pavo en forma tradicional, o sea que quede como una bolsa, y salpimentar.

2) Coser con aguja e hilo para matambre la parte del cuello.

3) Preparar una farce con el pan y picar grueso las castañas y las cerezas, sacándoles antes el carozo.

4) Agregar los huevos bien batidos y mezclar todo.

5) Rellenar el pavo con esta preparación y coser como la parte anterior con hilo.

6) Poner al horno durante 50 minutos, previamente enmantecado y salpimentado.

7) Cuatro minutos antes de sacar del horno echarle el cognac y encender para que se flambee.

Presentación

Cortar el pavo cuando está casi frío, con un cuchillo muy filoso. Los cortes van en forma horizontal. Sacar medallones de 2,5 cm, naparlos con salsa y colocar al lado 2 pequeñas tarteletas con frambuesas.

Cazuela de codornices

4 personas
Tiempo de preparación: 15 minutos
Tiempo de cocción: 60 minutos

Ingredientes

8 codornices precocidas y deshuesadas
1 puerro
1 zanahoria
1/2 taza de dados de jamón cocido
1/2 taza de cabezas de champiñones chicos
1 copa de cognac
1 taza de crema
1 cucharadita de té, de extracto de carne
1 cucharadita de café, de tomillo
50 g de manteca
3 papas hervidas, en cubos

Preparación

1) En una cacerola de barro o de hierro con tapa poner 50 g de manteca y hacer un fondo con el puerro, zanahoria y jamón, todo cortado en dados. Agregar las codornices cortadas por la mitad y las cabezas de champiñones, y dejar que tomen temperatura. Verter una copa de cognac y dejar que flambee.

2) Apagar el fuego con la crema y agregar el extracto de carne. Revolver y cocinar a fuego suave.

3) Si es necesario ligar con un roux oscuro.

4) Servir con papas hervidas cortadas en cubos, condimentadas con el tomillo finamente picado.

Codornices en sus nidos

4 personas
Tiempo de preparación: 40 minutos
Tiempo de cocción: 30 minutos

Ingredientes

8 codornices grandes
6 cucharadas de puré de espinacas
80 g de hígado de ave
1 huevo
1 echalote picado
1 cucharada de manteca
Sal y pimienta negra recién molida
2 cucharadas de salsa de soja

Para la guarnición

1 morrón colorado
1 blanco de puerro
1 zanahoria
2 papas
1 taza de agua
2 cucharadas de manteca
1 cucharadita de café, de extracto de carne
16 huevos de codorniz
2 cucharadas de aceite de maíz

Para la salsa

2 tazas de fondo oscuro de ternera (o hacer con cubitos un caldo fuerte)
1 cucharada de hígado de ave machacado y picado
½ taza de caldo de codorniz
Dejar cocinar 15 minutos y ligar con un roux blanco

Preparación

1) Hacerles un corte por la espalda a las codornices y quitarles los huesos con cuidado y sin romper la piel.

2) Hacer una pasta con el puré de espinacas, los hígados, el echalote picado y rehogado en la manteca, salsa de soja y el huevo. Rellenar con esta pasta las codornices y colocarlas en una fuente enmantecada (deben mantener su forma original). Hornear a fuego medio por 20 minutos.

3) Mientras tanto, se va preparando la guarnición. Cortar en juliana fina todas las verduras menos las papas y colocarlas en una legumbrera con agua, manteca, extracto de carne, sal, pimienta, tapar con papel de aluminio y hornear a fuego medio por 15 minutos, cuidando que no se pasen. Cocinar en agua los huevos de codorniz, enfriar y pelar.

4) Cortar las papas en juliana regular y lavar en agua fría, secar y fritar en aceite de maíz.

Presentación

Colocar en el centro de una fuente redonda las codornices, alrededor las verduras, las papas y napar con la salsa sólo las codornices.

Codornices en aceite y verduras

4 personas
Tiempo de preparación: 15 minutos
Tiempo de cocción: 30 minutos

Ingredientes

8 codornices
2 zanahorias
1 cebolla
1 hoja de laurel
1 morrón rojo
1 blanco de puerro
Jugo de 1 limón
¾ de taza de vinagre de estragón
1 cucharadita de té, de pimentón picante
1 taza de aceite de maíz
100 g de manteca

Preparación

1) Poner al horno las codornices durante 15 minutos, untadas con manteca.

2) Cortar las verduras en juliana y rehogarlas en aceite, agregar las codornices y luego el jugo del limón, vinagre, pimentón, laurel y el resto del aceite. Dejar cocinar 20 minutos más y retirar.

3) Dejar enfriar.

4) Guardar en heladera 24 horas como mínimo.

5) Servir de a dos por persona con las verduras alrededor y gajos de limón.

Brochettes de pechuguitas de codorniz

4 personas
Tiempo de preparación: 40 minutos
Tiempo de cocción: 40 minutos

Ingredientes

12 dobles pechuguitas
24 patas de codorniz
3 tazas de hojas de berro condimentadas
100 g de manteca, 2 copas de vino blanco seco
Sal y pimienta negra recién molida
½ cucharadita de café, de cardamomo
½ taza de crema
8 tostadas en triángulo
1 cucharada de curry Madrás
4 tajadas de panceta ahumada

Preparación

1) Separar las dobles pechugas de las patas.

2) Cocinar las patas, salteándolas ligeramente, y sacarles los huesos, picar la carne, luego tamizar o pasar por un procesador junto con una copa de vino blanco, sal, pimienta, cardamomo. Agregarle crema al final. De esa manera hacer una mousse (si es necesario agregar un poco más de vino para obtener consistencia).

3) Ensartar 3 pechugas por pincho y cocinarlas a la parrilla a horno suave con una tajada de panceta sobre cada brochette. De esta manera al ir calentándose la panceta chorrea sobre las pechugas.

4) En una cacerola chica derretir la manteca con el curry hasta que quede cremosa.

5) Servir en platos individuales o en una fuente donde se pondrán un colchón de hojas de berro y sobre él las brochettes napadas con la manteca de curry. Decorar la fuente con las 8 tostadas untadas con la mousse de codorniz.

Aves en aves

Este es un plato para poca o mucha gente, según el tamaño de las aves y el apetito de los comensales. Es un plato divertido y requiere buen humor y mucho vino.

Tiempo de preparación: 80 minutos
Tiempo de cocción: 8 horas

Ingredientes

3 codornices
3 perdices
2 martinetas
1 faisán
1 pollo grande
1 pato
1 ganso
1 pavita
1 pavo
Todas las aves deshuesadas y sin piel. El pavo, que es el último, llevará piel.
24 fetas de panceta ahumada
Todas las hierbas que más le gusten
Todas las especias que más le gusten
300 g de manteca
Aceite
Sal y pimienta
4 cebollas para la asadera
Todos los vinagres que más le gusten
2 botellas de vino tinto borgoña
Mostaza francesa e inglesa

Preparación

1) Deshuesar las aves. Salpimentarlas y condimentar con las variadas hierbas y especias. Ir mojándolas con los vinagres variados, abrir las codornices y enrollarlas sobre sí mismas. Abrir las perdices y envolver con ellas las codornices. Poner pedacitos de manteca y un po-

co de panceta ahumada para que durante la cocción humedezcan las carnes secas.

2) Envolver con 6 láminas de panceta ahumada las perdices, abrir las martinetas y envolver con ellas las perdices, cubrir con manteca y mostaza francesa. Luego viene el faisán. Todas estas carnes secas serán humedecidas con vino y vinagres y las grasas de las próximas aves.

3) Hacer lo mismo con el pollo, el pato y el ganso.

4) Introducir la bola dentro de la pavita, siempre con panceta y lo demás.

5) Queda el pavo que hará de última envoltura. Cerrar bien, condimentar, colocar en una asadera con cebollas y aceite, y llevar a un horno muy suave por no menos de 8 horas.

6) Hacer una salsa con la grasa que quedará en la asadera y el vino; para ello retirar las carnes y a fuego directo de hornallas, con harina, hacer un gravy agregando agua, es decir una típica salsa inglesa, despegando pellejos de ave, cebollas, grasas, vino, etc. con una cuchara de madera.

7) Al servir, se cortará por el medio y se verán todas las aves como si fuera un corte de un tronco de árbol viejo. Servir con la salsa aparte y vegetales salteados o al vapor.

Cogote de ganso relleno

"La Chimère", 1972.

4 personas
Tiempo de preparación: 10 minutos
Tiempo de cocción: 15 minutos

Ingredientes

4 cogotes de ganso
4 copas de cognac
3 dientes de ajo machacados
3 cucharadas de perejil picado fino
Sal, pimienta negra recién molida
½ cucharadita de café, de clavo de olor molido
1 kg de carne de salchicha criolla
2 hígados de ganso
½ taza de hongos secos remojados y picados
4 copas de vino blanco seco
1 cucharada de postre, de curry
1 cucharada de eneldo picado
2 hojas de laurel
Grasa de ganso

Preparación

1) Marinar durante toda la noche los 4 cogotes, sin la parte dura, es decir la piel y poca carne, con cognac, pimienta, perejil, clavo, laurel y ajos.

2) Con la carne de las salchichas preparar un relleno mezclándola con los hígados picados, curry, eneldo, vino blanco y hongos. Si queda muy espeso el relleno aflojarlo con parte de la marinada.

3) Rellenar bien firme, atar las puntas y saltear en una sartén de cobre gruesa y resistente, con la grasa de ganso.

Servir frío o caliente.

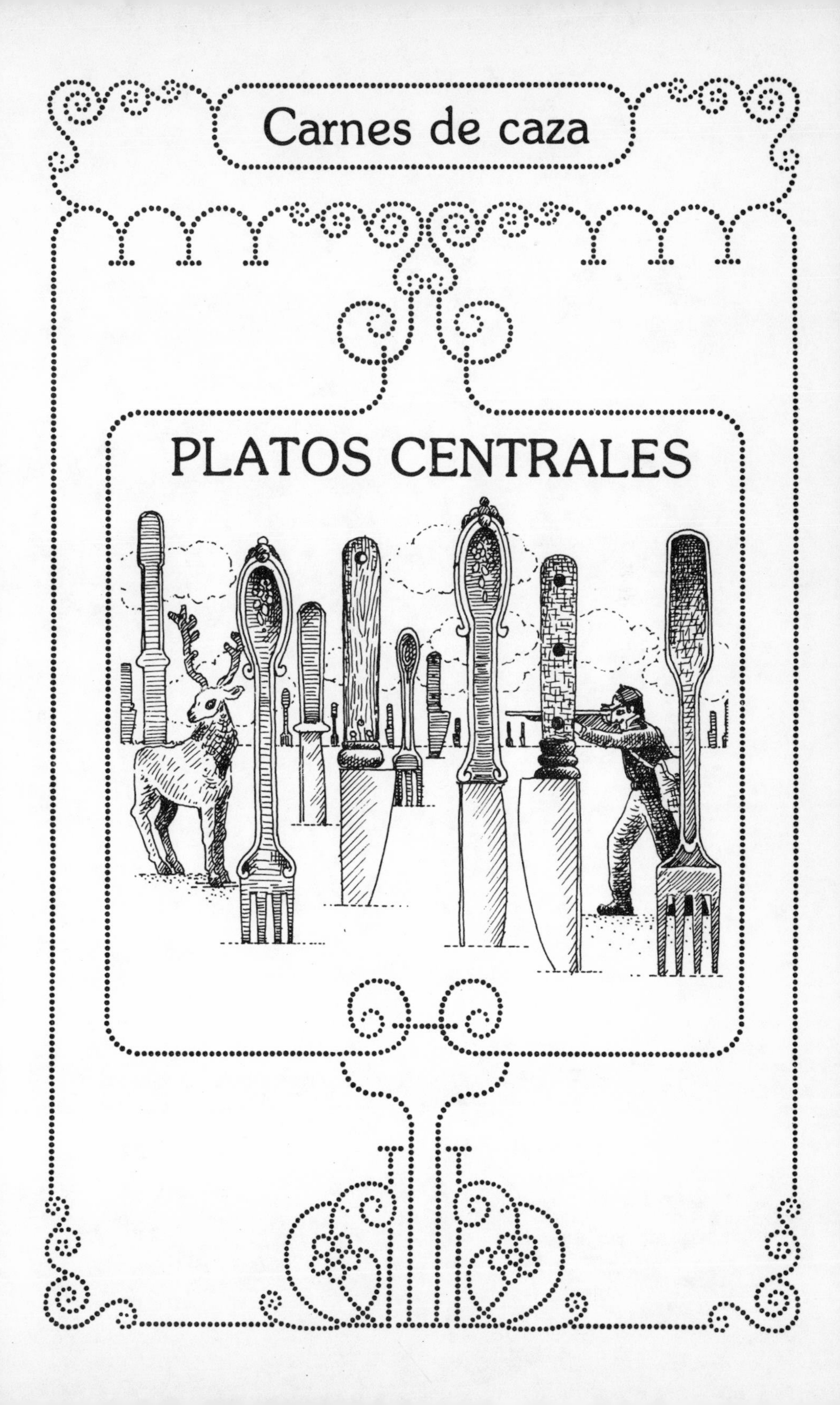
Carnes de caza
PLATOS CENTRALES

Jabalí, salsa de caza, manzanas con curry

4 personas
Tiempo de marinada: 24 horas
Tiempo de preparación: 10 minutos
Tiempo de cocción: 65 minutos

Ingredientes

1 pierna de jabalí chica

Para la marinada

1,5 litros de vino blanco
2 manzanas
1 ají verde
1 blanco de puerro
1 cebolla, 2 cebollas de verdeo
2 tallos de apio
1 hoja de laurel
2 clavos de olor
Pimienta blanca en grano partida

Para la salsa

50 g de manteca
4 tazas de caldo de carne
2 cucharadas de salsa de soja
Sal y pimienta

Guarnición

2 manzanas verdes peladas
2 cucharadas de manteca
1 cucharada de curry
1 cucharada de azúcar

Preparación

1) Mezclar todos los ingredientes de la marinada indicados (las verduras en juliana) y colocar allí la pierna de jabalí durante el tiempo señalado.

2) Colocar la pierna en una asadera, apenas rociada con aceite de maíz y salada, sobre las verduras que constituyeron la marinada, y dejar cocinar, rociando de vez en cuando con el jugo de cocción, 50 minutos.

3) Para la salsa: Colocar en una cacerola 50 g de manteca, todo el fondo de cocción de la pierna, previamente colado y 4 tazas de caldo de carne. Dejar reducir a la mitad.

4) Agregar 2 cucharadas soperas de salsa de soja y ligar con un roux oscuro, terminando con una nuez de manteca y batiendo. Pasar la salsa por un cedazo fino, volverla al fuego y calentar allí ocho fetas de jabalí.

Presentación

Poner en cada plato dos fetas de jabalí napadas con salsa. Acompañar con 2 rodajas de manzana glaseadas con curry.

Pernil de ciervo marinado con salsa de caza y dulce de grosellas

6 a 8 personas
Tiempo de preparación: 30 minutos
Tiempo de cocción: 80 minutos
Marinada: 20 horas

Ingredientes

1 pernil de ciervo
2 botellas de buen vino borgoña
1 apio
1 zanahoria
2 cebollas medianas
1 puerro
1 pimiento morrón
1 taza de aceite de oliva
Hojas de laurel
Tomillo
Sal y pimienta negra en grano
5 clavos
100 g de paté de hígado
1 taza de crema de leche natural
1 litro de reducción de marinada

Marinada

1) Lavar prolijamente las verduras y cortarlas en juliana.

2) Poner en una cacerola honda el pernil, cubrirlo con las verduras, agregar laurel, pimienta, tomillo, clavos y salar.

3) Por último agregar el vino y el aceite de oliva, cuidando que la carne quede cubierta; de no ser así agregar más vino.

4) Dejar marinar en la heladera durante 20 horas dando vuelta la carne de vez en cuando.

Preparación

1) Sacar el pernil de la marinada y cocinar al horno en una asadera enmantecada durante cincuenta minutos.

2) Al mismo tiempo hervir todos los ingredientes de la marinada.

3) Sacar el pernil del horno.

4) Tamizar la marinada, agregar el paté y la crema, así obtendremos una salsa sabrosa y espesa.

5) Poner de nuevo esta salsa a fuego lento, agregar el pernil y cocinar durante 30 minutos más.

6) Cuando la carne esté cocida, retirarla del horno, cortar en fetas y colocarlas en una fuente de servir, napar con la salsa bien caliente y acompañar con guarnición de batatas glaseadas y el dulce de grosellas por separado sobre tarteletas.

Para estos platos me gusta un vino tinto liviano. Son carnes pesadas y necesitan ser acompañadas de mucho líquido.

Pechitos de ciervo

4 personas
Tiempo de preparación: 10 minutos
Tiempo de cocción: 35 minutos

Ingredientes

Cortar un costillar en tiras (costillitas) de 12 a 14 cm de largo
Sal y pimienta negra recién molida
1 copa de vinagre de estragón con estragón picado

Salsa

1 cucharada de curry
Hierbas frescas
1 taza de azúcar
Gotas de Tabasco
1 vaso de vino blanco
½ vaso de vinagre de estragón
2 tomates en puré sin piel ni semillas

Guarnición

Frambuesas frescas

Preparación

1) Preparar los costillares, similares a los *spareribs* de chancho americanos; salpimentarlos, rociarlos con vinagre de estragón y estragón picado.

2) Hacer un fuego y colocar las costillas a 30 cm de las brasas.

3) Mientras tanto, hacer una salsa, preparando un caramelo con azúcar, vino blanco y vinagre. Luego las hierbas, curry, Tabasco y tomates. Cocinar bien. Debe quedar de un color oscuro.

4) Cuando los huesos estén bien tostados, cortarlos de tres en tres costillas. Servir la salsa fría y aparte. Se come con las manos y con los dientes. Sacar las costritas de los huesos. Combinar entre bocado y bocado con frambuesas frescas y frías.

Tomar un vino tinto fresco, liviano. Si está cerca de un río o lago enfriarlo allí a la temperatura del agua.

También se puede hacer con jabalí.

Guiso de ciervo

Este guiso lo hacíamos cuando cazábamos con el bueno de Roberto Zapico Antuña en el sur. Es un espléndido guiso de campamento, fuerte y pesado. Por eso me gusta acompañarlo con mucho líquido: elijo un vino tinto, pero liviano.

4 personas
Tiempo de preparación: 15 minutos
Tiempo de cocción: 2 horas

Ingredientes

2 kg de carne de ciervo joven, preferible pierna
4 papas en trozos
3 copas de vino tinto fuerte
50 g de hongos del lugar (también pueden ser hongos secos)
4 zanahorias en rodajas
1 cucharada de curry mild
Hierbas frescas del lugar
2 dientes de ajo machacados y picados
3 cubos de caldo de vaca disueltos en una copa de vino tinto
Aceite de maíz
Perejil, laurel, sal y pimienta negra recién molida

Preparación

1) No marinar la carne, cortarla en cubos grandes, colocarlos en una cacerola grande con todos los demás ingredientes crudos. Saltearlos con el aceite. Una vez que tomen buen color agregar agua (1 taza) y condimentar; no salar demasiado.

2) Agregar el vino, tapar la cacerola y dejar cocinar. Si hace falta más agua echar y seguir cocinando.

Lomitos de puma

Esta silla de puma fue cazada por mi amigo Juan Sáenz Briones y la comimos en "La Chimère" en 1969, junto con lomos de jabalí y lomos de guanaco de Mendoza.

La receta es muy sencilla, sin marinada ni salsas. El gusto de los lomitos es muy sutil y no se lo puede mezclar.

4 personas
Tiempo de preparación: 10 minutos
Tiempo de cocción: 15 minutos
Tiempo de cocción papas: 30 minutos

Ingredientes

2 lomitos
2 carrés (parte del bife)
16 fetas muy finas de panceta
Sal y pimienta negra recién molida

Guarnición

6 papas
Romero, estragón, ciboulette, salvia
Sal y pimienta negra recién molida
100 g de manteca
1 cucharada de aceite de maíz

Preparación

1) Salpimentar las carnes. Envolver con panceta y cocinar en una parrilla u horno; deben quedar rosadas. Retirar y guardar en lugar caliente.

2) Mientras tanto, pelar las papas, darles un hervor, pero dejarlas a medio cocer; luego cortarlas desparejo y saltear con la manteca, el aceite y las hierbas. Tienen que quedar doradas y crocantes por fuera y blandas por dentro.

Conejo entero marinado

Estos conejos los preparaba el sábado por la noche y los cocinaba al mediodía del domingo en mi quinta de San Isidro hace unos 15 años. Fueron famosos por lo tiernos y aromáticos.

4 personas
Tiempo de preparación: (marinada) 12 horas
Tiempo de cocción en horno: 45 minutos
En parrilla lenta: 70 minutos

Ingredientes

1 conejo de 2½ kg sin cabeza, abierto por el medio y limpio.

Marinada

1 litro de vino tinto
2 copas de cognac
1 cucharada de pimienta negra en grano
1 cucharada de pimienta blanca en grano
6 clavos
6 hojas de laurel
2 cebollas en juliana
3 dientes de ajo aplastados y picados
1 cucharadita de té, de curry
1 cucharadita de té, de cardamomo
1 cucharadita de té, de mostaza inglesa
100 g de mostaza tipo Dijon
Hierbas frescas (todas las que quiera)
30 g de hongos frescos (o secos)

Preparación

1) Hacer una mezcla con todos los ingredientes de la marinada.

2) En una asadera de borde alto poner el conejo boca arriba. Cubrir con la marinada y dejarlo en una heladera por 12 horas.

3) Cocinar el conejo en parrilla o en horno, cuidando bien que no se seque. Para eso, pintarlo constantemente con la mitad de la marinada. Pasar la otra mitad por un colador chino o cedazo, reducir a buen fuego, ligar con la manteca manié y agregarle hongos frescos cortados en tiras gruesas (si no hay, remojar un puñado de hongos secos, picarlos gordos y agregarlos a la salsa con 3 cucharadas de su agua).

4) Servir aparte esta salsa. Acompañar con una ensalada bien fresca de hojas verdes y tomates. Dressing: aceite de maíz, limón, albahaca fresca, sal y pimienta.

Conejo silvestre marinado

4 personas
Tiempo de preparación: 10 minutos
Tiempo de cocción: 35 minutos
Marinada del conejo: 12 horas
Salsa marinada: 60 minutos

Ingredientes

1 conejo silvestre limpio y marinado
100 g de panceta ahumada
Sal y pimienta negra recién molida
Pimienta de Cayena
3 cucharadas de mostaza francesa
¼ taza de pan rallado
Papel de aluminio
8 tostadas en triángulo de pan frito

Marinada

1 taza de aceite de maíz
1 taza de vinagre de vino
1 cucharada de hierbas frescas
1 copa de cognac
Sal y pimienta en grano
4 clavos
2 hojas de laurel
1 cebolla, 1 apio, 2 zanahorias, todo en cubos

Preparación

1) Marinar el conejo por 12 horas en lugar fresco y de noche.

2) Preparar un fuego con brasas chicas. Abrir el conejo por el medio, salpimentar, untarlo con la mostaza, espolvorearlo con el pan y cubrirlo con fetas de panceta. Luego envolver en papel de aluminio, cerrando bien, y colocar finalmente sobre las brasas.

3) Hacer hervir la marinada y dejarla reducir más o menos un tercio. Pasar por colador chino y luego llevarla nuevamente a hervor. Reducirla o bien espesarla.

4) Cuando el conejo esté listo, desenvolverlo, colocarlo sobre una fuente y servirlo. La salsa preparada con la marinada se presentará aparte. Acompañar con tostadas y verduras de estación salteadas.

Conejo con mostazas

4 personas
Tiempo de preparación: 5 minutos
Tiempo de cocción: 40 minutos

Ingredientes

1,800 kg de conejo, suficiente para obtener 12 trozos
2 cucharadas de harina
Sal y pimienta negra recién molida
2 cucharadas de aceite de oliva
2 cucharadas de manteca
100 g de panceta cortada en dados y blanqueada
4 echalotes picados
Bouquet garni
1,5 dl de vino blanco seco
1,5 dl de caldo de ave
1 cucharada de mostaza de Dijon
1 cucharadita al ras de té, de mostaza inglesa
3 dl de crema espesa
2 cucharadas de vinagre de estragón

Preparación

1) Cortar el conejo en 12 trozos; salpimentar, enharinar los trozos y saltearlos en aceite de oliva y manteca junto con la panceta hasta que estén dorados.

2) Agregar echalotes picados y bouquet garni, rociar con vino blanco y caldo. Cubrir y cocinar a fuego suave hasta que el conejo esté tierno.

3) Retirar el conejo, ponerlo en un bol y mantenerlo caliente. Desgrasar la salsa, mezclar las mostazas de Dijon e inglesa en vinagre de estragón y revolver enérgicamente con la crema espesa fresca y agregarlo a la salsa en la cacerola. Corregir el sabor agregando un poco más de mostaza, sal o pimienta si lo desea. Agregar los trozos de conejo y servir en la cacerola.

Conejo y champagne

4 personas
Tiempo de preparación: 10 minutos
Tiempo de cocción: 30 minutos

Ingredientes

100 g de manteca
2 hojas de laurel
1 conejo chico de 1,200 kg aproximadamente
1 cebolla chica
120 g de champiñones frescos
3 vasos de champagne
2 tazas de té, de crema natural
½ taza de té, de harina
3 cucharadas soperas de aceite de maíz
Sal y pimienta negra recién molida a gusto

Guarnición

Timbal de arroz blanco con manteca y almendras

Preparación

1) Trozar el conejo en pedazos chicos y blanquearlo en agua hirviendo con laurel y sal durante 5 minutos; escurrir.

2) Colocar en una cacerola la manteca y luego dorar en ella la cebolla finamente picada, agregando los hongos cortados en 4 y también el conejo, condimentar, y luego de 12 minutos agregar el champagne, dejar hervir y ligar con la harina y el aceite previamente mezclados.

3) Por último agregar la crema y dejar 10 minutos más a fuego suave. Rectificar la sal y la pimienta.

Perdices asadas

4 personas
Tiempo de preparación: 35 minutos
Tiempo de cocción: 30 minutos

Ingredientes

8 perdices pequeñas y tiernas
8 cucharadas de manteca templada, jugo de 1 limón
Sal y pimienta negra recién molida
8 fetas de panceta
8 croutons lo suficientemente grandes como para base de cada perdiz, cortados en forma de corazón
3 cucharadas de manteca clarificada
1 cucharada de aceite de oliva
Pimienta de Cayena, 2 tazas de hojas de berro
Dados de pan tostado, 1 taza de jalea de frambuesas

Preparación

1) Mezclar la manteca templada con el jugo de limón en un bol, aderezando con la sal y pimienta negra en cantidad necesaria.

2) Rellenar las aves con esta mezcla. Rodear cada pechuga de ave con una fina feta de panceta y asarlas en horno relativamente fuerte (220°C) por 20 a 25 minutos, o 25 a 30 si se prefieren más cocidas. Cuando las aves están a medio cocer extraerles los hígados, deshacerlos levemente y ponerlos en la asadera para cocinarlos junto a las perdices hasta que estén tiernos.

3) Antes de servir freír los croutons en un poco de manteca clarificada y aceite de oliva hasta que se doren. Untarlos con los hígados deshechos y los restos crocantes de la asadera y condimentar con sal y pimienta de Cayena.

4) Para servir: quitar la panceta, poner cada perdiz en un crouton y disponerlas en una fuente. Decorar con berro, dados de pan tostado y jalea de frambuesas. Las perdices deben estar rosadas y jugosas; no deben cocinarse mucho pues quedarán secas.

Perdices rellenas, arroz y verduras con piñones

4 personas
Tiempo de preparación: 20 minutos
Tiempo de cocción: 30 minutos

Ingredientes

4 perdices
2 echalotes picados
200 g de arroz
3 tazas de caldo
1 zanahoria
2 morrones
2 puerros
50 g de chauchas
16 champiñones grandes
200 g de manteca
1 huevo
1 taza de puré de espinacas
1 taza de piñones
Salsa inglesa
Coriandro
Sal y pimienta verde
1 taza de crema

Preparación

1) Cortar cada perdiz por la espalda a lo largo y sacarle todos los huesos sin romper la piel.

2) Saltear los echalotes en manteca, agregar el arroz precocido 5 minutos en agua y sal y las espinacas, mezclando todo.

3) Fuera del fuego agregar el huevo, condimentar con salsa inglesa, coriandro, sal a gusto y pimienta verde.

4) Rellenar las perdices y dejar en horno 20 minutos.

5) Cortar en juliana la zanahoria, los morrones, los puerros y las chauchas, brasearlos con manteca y ½ taza de caldo 15 minutos.

6) Saltear los hongos y los piñones en manteca, retirarlos y poner en esa sartén el caldo restante, reducir, agregar una taza de crema y condimentar.

7) Presentar 1 perdiz en cada plato, de un lado verduras en juliana y del otro hongos, y napar con salsa.

Perdices con lentejas

Para un mediodía de otoño o invierno en el campo, junto a Dios y a una chimenea, con un buen vino pesado, una de las mejores posibilidades que le doy a un borgoña o un Malbec. Con lentejas y perdices.

4 personas
Tiempo de preparación: 7 minutos
Tiempo de cocción: 45 minutos

Ingredientes

4 perdices
Sal y pimienta negra recién molida
3 cucharadas de manteca
2 cucharadas de aceite de oliva
100 g de grasa de chancho en dados
1 cebolla cortada en juliana
2 o 3 zanahorias en rodajas
1,5 dl de vino blanco
1,5 dl de caldo de ave

Lentejas

350 g de lentejas remojadas
1 cebolla pinchada con 2 clavos de olor
2 dientes de ajo
2 cucharaditas de tomillo fresco
2 cucharaditas de perejil

Preparación

1) Lavar y preparar las perdices; rociar las cavidades con un poco de sal y pimienta negra recién molida. Saltear las aves en una cacerola en manteca y aceite de oliva con los dados de grasa de chancho, láminas de cebolla y zanahorias.

2) Cuando las aves ya estén doradas, agregar el vino y cocinar hasta que éste se reduzca a la mitad. Añadir el caldo de ave y sazonar a gusto con sal y pimienta negra recién molida. Tapar la cacerola y cocinar a fuego lento hasta que las aves estén tiernas: alrededor de 45 minutos.

3) Para preparar las lentejas, dejarlas en remojo durante la noche anterior; escurrir y cubrir con agua. Agregar cebolla, ajo, tomillo, perejil, sal y pimienta negra recién molida a gusto. Hervir. Reducir el fuego y seguir cocinando a fuego suave hasta que estén tiernas pero no blandas. Una vez cocidas escurrirlas y sacar la cebolla, ajo y hierbas.

4) Para servir ubicar las perdices en una fuente para horno y rodearlas con las lentejas cocidas. Desgrasar el fondo de cocción de las perdices, pasarlo por cedazo y volcarlo sobre las aves.

Faisanes asados, tocino fresco y papas salteadas

4 personas
Tiempo de preparación: 10 minutos
Tiempo de cocción: 25 minutos

Ingredientes

2 faisanes de 1,800 g aproximadamente
100 g de manteca
150 g de tocino ahumado cortado en fetas
Pimienta negra recién molida

Guarnición

4 papas medianas
Curry
200 g de manteca
Estragón
Tomillo y mejorana

Preparación

1) Poner los faisanes en horno durante 25 minutos atados y cubiertos de tocino en fetas y manteca. Pimentar.

2) Retirarlos, cortarlos a lo largo y sacarles los huesos.

3) Para la guarnición, hervir las papas con la piel 20 minutos. Luego sacarles la piel, cortarlas en trozos regulares y dorarlas en la sartén con los 200 g de manteca; retirar la manteca y agregar las hierbas y el tocino ahumado que se usó para la cocción de los faisanes.

Presentación

Para cada plato ½ faisán y las papas con hierbas y tocino.

Faisanes con Calvados

4 personas
Tiempo de preparación: 10 minutos
Tiempo de cocción: 25 a 30 minutos

Ingredientes

2 faisanes de 1½ kg cada uno
2 manzanas verdes
4 copas de Calvados
Harina
2 cucharadas de aceite de maíz
6 fetas de panceta ahumada
4 papas peladas cortadas en gajos
2 manzanas peladas cortadas en gajos
Sal, pimienta negra

Preparación

1) Rellenar con una manzana cortada en 4 cada faisán. Atarlo y colocarlo en una asadera. Salpimentar.

2) En el fondo de la asadera echar 2 cucharadas de aceite, y sobre los faisanes las fetas de panceta. Cocinar 5 minutos a horno fuerte, sacar la asadera del horno, ponerla sobre fuego directo y flambear con 2 copas de Calvados. Llevar al horno por 20 minutos más y terminar la cocción. Retirar los faisanes y mantener calientes. Llevar la asadera a fuego directo sobre las hornallas de la cocina, agregar las 2 capas restantes de Calvados mezcladas con harina, y con una cuchara de madera trabajar toda la asadera. Colar la salsa en un colador chino. Servir aparte el faisán.

Guarnición

Papas horneadas en gajos, manzanas horneadas en los últimos 15 minutos de cocción de los faisanes.

Faisanes con frutas

4 personas
Tiempo de preparación: 10 minutos
Tiempo de cocción: 40 minutos

Ingredientes

2 faisanes de 1,800 g
100 g de tocino ahumado
1 copa de cognac
80 g de manteca

Salsa

3 tazas de caldo de ave concentrado
Estragón, tomillo
4 hígados de faisán
Ligar si hace falta

Guarnición

1 manzana
Curry
4 tarteletas
Cerezas en conserva
70 g de azúcar

Preparación

1) Poner en asadera los faisanes y naparlos parcialmente con la manteca y el tocino, atarlos si hiciera falta y llevar al horno 25 minutos a fuego medio. Retirar y cortar cada uno de ellos por la mitad a lo largo. Quitarles todos los huesos, colocarlos en una sartén con manteca y flambearlos con cognac agregando la salsa con estragón, tomillo y los hígados pasados por cedazo fino; dejar cocinar 15 minutos y luego reposar y servir.

2) Para la guarnición cortar la manzana en rodajas y glasear con azúcar y curry; presentar las tarteletas llenas con cerezas preparadas en un almíbar liviano. Poner en cada plato una rodaja de manzana y una tarteleta.

El faisán se puede reemplazar, para ésta y otras recetas, por martinetas o coloradas, calculando 2 por cada faisán; o perdices, 4 por cada faisán.

Faisanes con frambuesas

4 personas
Tiempo de preparación: 15 minutos
Tiempo de cocción: 30 minutos

Ingredientes

2 faisanes
80 g de manteca
1 copa de licor de frambuesa
Sal
80 g de frambuesas
8 cabezas de puerro
2 cucharadas de azúcar

Salsa

3 tazas de caldo de faisán
2 cucharadas soperas de soja
2 cucharadas de roux blanco
4 cucharadas de mermelada de frambuesas
1 cucharada de postre, de manteca

Preparación

1) Asar los faisanes bien dorados en horno durante 25 minutos, previamente atados y enmantecados y con poca sal. Retirar y cortar cada uno a lo largo por el medio y quitarle parcialmente los huesos. Colocarlos en una sartén, dejar que tome temperatura y agregar el licor de frambuesa.

2) Agregar caldo, mermelada, soja, dejar cocinar 5 minutos y ligar con roux blanco; terminar con 1 nuez de manteca.

Presentación

Presentar cada medio faisán bien napado de salsa con las frutas glaseadas ligeramente y 2 cabezas de puerros braseados.

Roux Blanco.

25 g MANTECA + 1/2 Taza Harina
ó
12.5 gr Manteca
+
1/4 taza Harina

Pato con pimienta rosa

4 personas
Tiempo de preparación: 15 minutos
Tiempo de cocción: 60 minutos

Ingredientes

2 patos de 1,800 kg aproximadamente
1 cucharada de manteca
1 cucharada de cebolla picada
1 zanahoria grande torneada en trozos chicos y glaseada
300 g de crema de leche
250 cm^3 de vino blanco o champagne
3 cucharadas de roux blanco
2 cucharadas soperas de pimienta rosa
½ cucharadita de pimienta blanca
1 taza de puré de papas, 1 huevo
1 cucharadita de curry
Pan rallado

Preparación

1) Hornear los patos, con sal y pimienta durante 50 minutos. Retirarlos, dejarlos enfriar, cortarlos a lo largo y sacarles parcialmente los huesos más grandes.

2) Colocar en la sartén manteca y cebolla, saltear 8 minutos, agregar vino blanco y pimienta blanca en polvo. Dejar hervir y ligar con roux blanco. Finalmente agregar la crema y los medios patos para que se calienten.

3) Mezclar aparte la papa, huevo y curry y formar croquetas en forma de pequeñas peras, pasar por pan rallado y freír en abundante aceite.

4) En cada plato colocar medio pato napado con salsa espolvoreando por arriba la pimienta rosa. Decorar con croquetas y zanahorias chiquitas torneadas y glaseadas.

Pescados y mariscos
PLATOS CENTRALES

Ensalada de atún mediterránea

La hacíamos en "Drugstore" en 1972. Yo la comería con una cerveza muy fría y con espuma pareja y fuerte.

4 personas
Tiempo de preparación: 15 minutos

Ingredientes

4 huevos duros
1 lata de atún
4 tomates cortados en rebanadas
4 tazas de berros limpios (las hojas solamente)
3 tazas de cebollas cortadas en aros
1 taza de aceitunas negras descarozadas
1 taza de arroz

Aderezo

½ taza de aceite de oliva
4 cucharadas de vinagre de estragón
1 diente de ajo (solamente el jugo)
4 filetes de anchoa
Sal, pimienta negra recién molida
2 cucharaditas de mostaza inglesa

Preparación

1) Hacer el aderezo mezclando en una ensaladera las anchoas, sal, pimienta, mostaza y jugo de ajo. Machacar con una cuchara hasta hacer una pasta, agregar poco a poco el vinagre, luego el aceite, batiendo todo.

2) Formar una base con el berro y el atún, luego colocar en el centro el arroz y decorar con tomate, cebolla, aceitunas y huevos en rodajas. Mezclar inmediatamente antes de servir.

Filetes de pescado dorados

En esta receta se puede usar cualquier tipo de pescado. El lenguado es óptimo.

4 personas
Tiempo de preparación: 130 minutos
Tiempo de cocción: 18 minutos

Ingredientes

4 a 6 filetes de buen tamaño
1 litro de leche
2 copas de vino blanco seco
Sal y pimienta negra recién molida
6 rebanadas de pan lactal
100 g de manteca
Jugo de 2 limones
2 cucharadas de ciboulette picada fina
4 papas naturales
2 cucharadas de perejil picado fino
Salsa tártara

Preparación

1) Macerar los filetes con leche, vino, sal y pimienta por dos horas.

2) Escurrir los filetes y secarlos. Sacar la miga de las tajadas de pan y tamizarlas.

3) Espolvorear los filetes con sal, pimienta negra recién molida, ciboulette y jugo de limón. Luego agregar la miga de pan tamizada. Colocar encima bolitas de manteca y hornear hasta que queden doradas.

4) Servir acompañados con papas naturales espolvoreadas con perejil y salsa tártara.

Brochette de mar

4 personas
Tiempo de preparación: 20 minutos
Tiempo de cocción: 25 minutos
Tiempo de marinada: 2 horas

Ingredientes

1 trozo de congrio o abadejo de 600 g aproximadamente
16 fetas de jamón crudo
Jugo de 2 limones
1 cucharada de sopa, de bayas de enebro
2 copas de vino blanco seco
Sal, pimienta negra recién molida
1 cucharada de postre, de salsa inglesa
300 g de arroz con pasas

Salsa

Fondo con cebolla chica, una taza de fumet, una cucharada de limón, 1½ taza de crema.

Preparación

1) Quitarle al congrio la piel y la vértebra y cortarlo en cubos de 3 cm de alto por 3 cm de largo. Ponerlo en una legumbrera, rociarlo con jugo de limón, vino, sal, pimienta a gusto, bayas de enebro, salsa inglesa. Marinar 2 horas.

2) Luego envolver cada cubo de pescado con las tiras de jamón crudo y ensartar 6 trocitos en cada brochette.

3) Asar en una parrilla durante 25 minutos a fuego moderado a 30 cm de las brasas.

Presentación

En el fondo de cada plato colocar el arroz, y sobre él la brochette. Aparte la salsa.

Brochette de salmón de mar

4 personas
Tiempo de preparación: 40 minutos
Tiempo de marinada: 12 horas
Tiempo de cocción: 25 minutos

Ingredientes

20 cubos de 2,5 x 2,5 cm de salmón de mar previamente marinados (ver marinada para pescados)
100 g de manteca
Jugo de 4 limones
1 vaso de vino blanco seco
4 zócalos de pan de horma de 15 cm de largo por 4 cm de ancho por 2 cm de alto
20 hojas enteras de estragón
Perejil crespo para decorar

Preparación

1) Pinchar 5 cubos de pescado en cada brochette. Con cada cubo pinchar una hoja de estragón. Cocinarlo en parrilla pintándolo constantemente con su marinada. No debe quedar seco.

2) Derretir la manteca con el limón y vino blanco batiendo constantemente para que quede cremosa.

3) Vaciar los zócalos a fin de que quede una cavidad donde entren los cubos de pescado. Freírlos en manteca.

4) Servir los cubos dentro del pan napados con la manteca batida. Decorar con perejil crespo a ambos lados de la tostada.

Mero envuelto

Se puede hacer también con chernia o, si se consigue, con un gran lenguado, al que se le puedan sacar 4 grandes bifes.

4 personas
Tiempo de preparación: 20 minutos
Tiempo de cocción: 30 minutos

Ingredientes

800 g de carne de mero (cortado en cuatro partes de 200 g cada una en forma de rectángulo)
300 g de crema de leche
12 hojas grandes de repollo blanco
3 cucharadas de ciboulette bien picada
2 zanahorias, 3 tallos de apio, 2 cebollas
2 copas de vino blanco dulce
1 copa de vermouth blanco
Sal, pimienta, curry
Azúcar

Preparación

1) Cada pedazo de carne debe tener unos 200 g, cortados como bifes de 12 cm por 5 cm por 5 cm. Hacer un court-bouillon en una asadera con las verduras, el vino, el vermouth, 1 taza de agua, sal, pimienta y curry. Colocar allí el pescado y cocinar al horno por 20 minutos, retirar y dejar enfriar.

2) Mientras se cocina el pescado blanquear hasta que queden tiernas las hojas de repollo (grandes) en una cacerola con bastante azúcar. Cuando estén tiernas y flexibles retirar.

3) Envolver el pescado con las hojas de repollo, llevar a un salteador grande con la crema, sal, pimienta y ciboulette. Calentar bien y servir napado con el fondo de cocción del pescado, acompañado de papas naturales por un lado y chauchas cortadas en bastones finitos por el otro.

Lenguado y caracú (médula)

4 personas
Tiempo de preparación: 30 minutos
Tiempo de cocción: 30 minutos

Ingredientes

4 buenos filetes de lenguado
8 pedazos de médula (c/u de 2 cm x 1 cm)
200 g de manteca
1 pizca de curry, sal y pimienta blanca
½ taza de roux blanco con 2 cucharadas de extracto de tomate condimentado
3 copas de vino blanco seco

Guarnición

Con 4 zanahorias hacer bastoncitos y cocinarlos.
Con 4 papas hacer noisettes y hervirlas.

Preparación

1) Saltear en manteca los filetes apenas enharinados.

2) Retirar del fuego. Colocarlos en una fuente y mantenerlos calientes (deben quedar bien crocantes).

3) Mientras tanto, tornear las zanahorias, cocerlas y hacer las papitas y cocerlas.

4) Hervir los pedazos de médula sin dejar que se deshagan. Preparar la salsa con el roux blanco, el extracto de tomate y, si se tiene a mano, un fondo de pescado. Si no, agregar el vino blanco seco y dejar evaporar.

5) Servir en una fuente, colocando los filetes napados con la salsa y luego los pedacitos de médula por encima. A los costados la guarnición.

Lenguado y curry

4 personas
Tiempo de preparación: 60 minutos
Tiempo de cocción: 20 minutos

Ingredientes

6 filetes cortados en diagonal (serán 3 por persona)
4 papas naturales
1 cebolla picada fina
2 dientes de ajo picado
10 gotas de Tabasco
1 cucharada de curry Madrás
½ cucharada de mostaza en polvo
½ cucharada de curry aromático
1 clavo de olor
Jugo de 4 limones
1 tomate picado
1 cucharada de azúcar
Sal y pimienta negra recién molida
Aceite de maíz
1 copa de vino blanco

Preparación

1) Cortar los filetes, lavarlos y secarlos. Salpimentar y dejar en la heladera por 1 hora.

2) En una fuente de hornear untada con aceite cocinarlos en horno a máxima temperatura.

3) Mientras tanto en una licuadora moler las especias con el jugo de limón, azúcar, Tabasco y vino. Saltear la cebolla y agregar. También añadir el tomate y licuar. Llevar a una cacerola y cocinar.

4) Colocar el pescado en una fuente de servir, cubrir con la salsa, tapar con papel de aluminio y hornear durante 10 minutos. Servir con papas naturales.

Lenguado meunière con alcaparras de "La Chimère"

4 personas
Tiempo de preparación: 10 minutos
Tiempo de cocción: 15 minutos

Ingredientes

4 filetes de lenguado
400 g de manteca
100 g de alcaparras
200 g de harina
Jugo de un limón
Sal
Pimienta negra recién molida
1 cucharadita de café, de estragón picado
4 papas naturales

Preparación

1) Lo mejor es filetear lenguados enteros; se les saca la parte negra (piel) con un cuchillo fino y filoso. Hacer dos cortes verticales paralelos al espinazo. Sacar la carne hacia los extremos laterales del pescado y hacer un rulo con ella.

2) Salpimentar, enharinar y secar bien. Freír en una sartén grande con la mitad de la manteca.

3) En una cacerolita derretir el resto de la manteca, y agregar las alcaparras, el limón y el estragón.

4) Colocar los pescados en una fuente de servir, napar con la manteca muy caliente.

5) Acompañar con papas naturales.

Rayas meunière y naranja

4 personas
Tiempo de preparación: 20 minutos
Tiempo de cocción: 30 minutos

Ingredientes

4 alas de raya, que ocupen casi la totalidad de un plato
400 g de manteca
4 cucharadas de harina
3 cucharadas de alcaparras
1 naranja en rodajas bien finas
Jugo de 2 naranjas

Preparación

1) Limpiar y redondear bien las alas del pescado. Enharinarlas.

2) En una gran sartén o en 2 medianas, derretir la mitad de la manteca y saltear las carnes.

3) Mientras tanto, en una cacerola u otra sartén, derretir el resto de la manteca y cuando haga globos agregar las alcaparras y el jugo de las naranjas.

4) En una fuente colocar el pescado, napar con la salsa. Decorar con las rodajas de naranja.

Rayas y Amaretto y amaretti

4 personas
Tiempo de preparación: 15 minutos
Tiempo de cocción: 50 minutos

Ingredientes

1,200 kg de carne (aletas) de raya grande
250 g de manteca
1/4 litro de crema
2 cucharadas de harina
1 copa de licor de Amaretto
2 copas de vino blanco seco
1 taza de fumet
1/2 taza de amaretti bien rotos

Preparación

1) En una sartén con 200 g de manteca y a fuego medio, cocinar la raya (solamente carne en cuatro pedazos grandes).

2) En una cacerola hacer un roux blanco con la manteca restante y la harina; agregar el vino y el fumet.

3) Agregar los amaretti rotos, la crema y el Amaretto.

4) En una fuente de hornear, colocar las carnes que se naparán con la salsa y se gratinarán.

Rayas en manteca negra

4 personas
Tiempo de preparación: 8 minutos
Tiempo de cocción: 20 minutos

Ingredientes

4 rayas de tamaño mediano
250 g de manteca

Guarnición

4 cucharadas de alcaparras
40 papas noisettes grandes y salteadas a la manteca
1 cucharada de perejil picado
1 cucharadita de té, de ciboulette picada
1 limón

Preparación

1) Pasar las rayas por agua hirviendo y sal durante cuatro minutos.

2) Retirar y escurrir; colocar la mitad de la manteca y dorar en ella las rayas. Poner en otra sartén la manteca que quedó y dejar que tome color, agregar limón, alcaparras, perejil y ciboulette y por último las papas.

Presentación

Colocar en cada plato una raya y a cada lado un poco de papas y sobre la raya la manteca negra bien caliente y las alcaparras.

Rayas gratinadas

4 personas
Tiempo de preparación: 12 minutos
Tiempo de cocción: 15 minutos

Ingredientes

4 rayas chicas
½ cebolla
1 zanahoria en rodajas
4 tallos de apio en rodajas
2 hojas de laurel
3 litros de agua
3 copas de vino blanco

Salsa

1 taza de vino blanco
Pimienta negra
Eneldo
½ cebolla picada
1 cucharada de manteca
2 cucharadas de roux blanco
Sal a gusto
1 taza de fumet
120 g de crema

Guarnición

100 g de queso gruyère rallado
1 tazón de puré duquesa con curry y hojas de eneldo fresco y picado

Preparación

1) Cocinar las rayas en court-bouillon de agua, vino, laurel, cebolla, zanahoria y apio durante 8 minutos. Retirar y separar la carne de los cartílagos.

2) Preparar una salsa dorando un fondo de cebolla, con vino blanco, sal, pimienta y fumet. Dejar hervir y luego ligar con roux blanco. Completar con crema y semillas de eneldo.

3) Formar un círculo con duquesa en el fondo del plato y distribuir dentro de él la carne de las rayas, napar con la salsa y gratinar con gruyère rallado y nuez de manteca en horno previamente calentado.

Truchas grilladas y hierbas aromáticas

4 personas
Tiempo de preparación: 10 minutos
Tiempo de cocción: 20 minutos

Ingredientes

4 truchas
4 papas envueltas en papel de aluminio
Sal
Pimienta negra recién molida

Manteca de hierbas

150 g de manteca
4 cucharadas de hierbas mezcladas (estragón, mejorana, salvia, tomillo, ciboulette)
Jugo de 3 limones
½ cucharada de curry liviano
Mezclar todo y enfriar en heladera

Preparación

1) Deshuesar las truchas. Sal, pimienta.

2) Hacer un fuego y colocar las truchas a 25 cm de las brasas. Cocinar pintando constantemente con la manteca de hierbas. Acompañar con las papas cocidas en las brasas envueltas en papel de aluminio.

Truchas, crema y limón

4 personas
Tiempo de preparación: 40 minutos
Tiempo de cocción: 30 minutos

Ingredientes

4 truchas de 280 g cada una
2 tazas de crema, 200 g de manteca
200 g de harina
Sal a gusto
½ taza de aceite de oliva
Jugo de 2 limones
Pimienta negra recién molida
1 cebolla de verdeo, 1 zanahoria chica
2 blancos de puerros
½ tomate pelado y despepitado, cortado concassé
1 taza de fumet

Preparación

1) Limpiar y desespinar la trucha. Poner a macerar en aceite de oliva y el jugo de 1 limón. Dejar 30 minutos.

2) Cocinar las truchas extendidas en forma abierta como meunière, o sea con manteca y aceite, previo retiro de maceración, pimentadas y pasadas ligeramente por harina. Dejar dorar. Retirar y mantener caliente.

3) Sacar el aceite y la manteca de la sartén, y colocar el fumet, la cebolla de verdeo picada, los puerros cortados en fina juliana, y también la zanahoria.

4) Agregar la crema y el jugo de 1 limón, y por último el tomate concassé. Dejar cocer 12 minutos, y extender esta salsa sobre cada filete.

5) Guarnecer con brócoli, espárragos, papas naturales noisettes, zanahorias torneadas y chauchas naturales cortadas en fina juliana.

La Plus Belle Perle de la Rivière

Es ideal un Fritzwein o un Mosela, es decir, un vino blanco dulzón. El nombre del plato es de mi abuelo el "Turco" Lagos, año 1925.

4 personas
Tiempo de preparación: 10 minutos
Tiempo de cocción: 60 minutos

Ingredientes

4 filetes de gran Paraná
200 g de langostinos (reservar las cáscaras y las cabezas)
200 g de mejillones sin cáscaras y bien lavados
3 tomates triturados frescos y sin piel
3 copas de vino blanco
200 g de crema de leche
Sal, pimienta negra recién molida
Papas para acompañar
100 g de manteca
Harina

Preparación

1) Preparar una salsa con una taza de agua, el vino blanco, 20 g de manteca, sal, pimienta, tomates y cáscaras y cabezas de langostinos.

2) Hervir hasta que las cabezas queden blancas, retirar del fuego y colar.

3) Agregar la crema, los mejillones y la carne de los langostinos.

4) Aparte freír en la manteca restante los filetes previamente pasados por harina.

5) Colocar en una fuente y bañar con la salsa.

6) Servir con papas naturales.

Filete de Paraná con mousse de verduras y roquefort

4 personas
Tiempo de preparación: 15 minutos
Tiempo de cocción: 25 minutos

Ingredientes

4 filetes de 200 g cada uno
4 cucharadas soperas de espinacas en puré
4 cucharadas soperas de roquefort
2 huevos
Pimienta blanca a gusto y sal
1 cebolla de verdeo
2 cucharadas de manteca
4 cucharadas soperas de mayonesa
2 fetas de pan lactal remojadas en 2 cucharadas soperas de leche.

Salsa

Preparar la salsa con 2 tazas de fumet, 1 cebolla chica picada y salteada. Dejar cocinar 6 minutos y agregar 2 cucharadas de carne de centolla bien picada y 2 tazas de crema, salsa inglesa y un toque de Tabasco.

Guarnición

Zanahorias torneadas en forma de aceitunas grandes aplastadas, y papas noisettes grandes naturales.

Preparación

1) Preparar la mousse de verduras y roquefort, picando la cebolla de verdeo y rehogándola a fuego suave, agregando luego la espinaca y el roquefort. Salpimentar a gusto. Luego incorporar el pan, mezclar todo, y fuera del fuego agregar los 2 huevos.

2) Arrollar cada filete en forma de cilindro dejando un vacío en el medio y colocarlos sobre bandeja enmantecada.

3) Rellenar cada filete con el preparado anterior y poner al horno durante 15 minutos.

4) Agregar a cada filete una cucharada de mayonesa 10 minutos antes de sacar del horno.

Presentación

Salsa en el fondo del plato, en el centro el filete y alrededor las verduras. Salsa aparte.

Gran Paraná deshuesado relleno y en camisa

4 personas
Tiempo de preparación: 30 minutos
Tiempo de cocción: 40 minutos

Ingredientes

1 gran Paraná de 2 kg
Perejil picado
Miga de pan remojada (3 rebanadas de lactal)
100 g de colas de langostinos
100 g de carne de centolla
3 huevos
50 g de champiñones en juliana
100 g de manteca
1 cucharadita de café, de curry fuerte
Zanahorias (para acompañar)
Masa: 200 g de manteca, 200 g de harina

Preparación

1) Abrir el gran Paraná, escamar, sacar las espinas y el espinazo.

2) Preparar la pasta para el relleno: langostinos, 2 huevos, perejil, pan, centolla, champiñones, mezclar todo.

3) Rellenar el pescado, cerrarlo y envolverlo en un repasador como si fuera un matambre. Atarlo muy bien. Cocerlo en una asadera cubierto de agua durante 20 minutos. Retirar, dejar enfriar y envolverlo con la masa previamente preparada con manteca, harina y agua. Pintar con el huevo restante batido.

4) Hornear hasta que la masa esté bien dorada. Preparar una manteca fundida y agregar el curry para servir en salsera aparte.

Acompañar con zanahorias cortadas en rodajas y hervidas en agua muy azucarada.

Gran Paraná relleno y en hojaldre

4 personas
Tiempo de preparación: 60 minutos
Tiempo de cocción: 40 minutos

Ingredientes

1 gran Paraná
1 cebolla picada
2 cucharadas de aceite
3 cucharadas de puré de espinacas
1 filete de pejerrey
2 huevos
4 cucharadas de crema
Eneldo, sal y pimienta rosa
3 copas de vino blanco
1 zanahoria
1 cebolla
1 apio

Salsa

2 tazas de crema de leche
1 cucharadita de café, de curry
1 cucharada de mostaza tipo Dijon
2 cucharadas de paprika

Hojaldre

2 yemas
300 g de harina
200 g de manteca
Sal
1 cucharada de postre, de jugo de limón

Preparación

1) Relleno: Rehogar la cebolla en el aceite, agregar el puré de espinacas y el filete de pejerrey. Cocinar a fuego suave durante 10 minutos. Agregar 2 huevos, 4 cucharadas de crema, pasar por picadora fina, mezclar. Condimentar con eneldo, pimienta rosa, sal y 1 copa de vino blanco.

2) Con esta pasta rellenar el pescado. Envolver con un repasador y atar fuertemente. Colocar en una asadera con 2 copas de vino blanco, 3 tazas de agua, 1 zanahoria, 1 cebolla, 1 apio, todos cortados en rebanadas y salpimentar. Hornear durante 15 minutos. Retirar y dejar enfriar, sacar el repasador.

3) Hacer el hojaldre y envolver el pescado, marcando las escamas con una cucharita de café y dibujando la cabeza. Pintar con las yemas, hacerle dos chimeneas y colocar en una fuente de hornear. Cocinar a fuego suave hasta que la masa esté dorada y cocida. Durante la cocción se le irá vertiendo por las chimeneas una salsa hecha con crema, paprika, mostaza y curry. Acompañar con zanahorias torneadas y papas naturales en bolitas. La salsa restante, aparte.

Gran Paraná con hierbas en parrilla

4 personas
Tiempo de preparación: 20 minutos
Tiempo de cocción: 30 minutos

Ingredientes

1 gran Paraná deshuesado con escamas (2 kg)
Cebolla picada
Manteca
1 cucharada de mostaza tipo Dijon
Jugo de limón
Ajo y perejil picados
Papel de aluminio
1 copita de vinagre de eneldo
1 cucharada de estragón fresco picado fino
Sal y pimienta

Preparación

Preparar una pasta con todos los ingredientes y rellenar el pescado. Cerrarlo muy bien y envolverlo en papel de aluminio enmantecado. Cocerlo en la parrila o sobre brasas suaves durante 30 minutos.

Surubí empanado

El surubí es uno de los manjares de nuestros ríos. Sus carnes son blandas y muy sabrosas. Creo que son ideales para hacer grandes milanesas.

4 personas
Tiempo de preparación: 3 horas 30 minutos
Tiempo de cocción: 20 minutos

Ingredientes

4 tajadas grandes y finas de surubí
4 hojas de lechuga fresca
4 yemas duras picadas
4 claras duras picadas
8 huevos
150 g de manteca
Sal, pimienta negra recién molida
1 taza de salsa tártara (con bastantes alcaparras)
Harina
Pan rallado
2 cucharadas de aceite de maíz
2 limones

Preparación

1) Desgrasar el surubí, enfriarlo si hay que cortar las milanesas: de esa manera se pueden cortar bien finas.

2) Batir los 8 huevos, salpimentar.

3) Pasar las tajadas por harina y dejar descansar en lugar seco por un par de horas. Pasar por huevo y dejar reposar 15 minutos. Repetir el huevo y panar. Dejar descansar 1 hora. Freírlos en la manteca y las 2 cucharadas de aceite de maíz.

4) Servir sobre las hojas de lechuga colocando por separado las claras, las yemas, la tártara y 4 medios limones cortados en corona.

Dorado deshuesado y relleno con salsa colorada

10 personas
Tiempo de preparación: 30 minutos
Tiempo de cocción: 40 minutos

Ingredientes

1 dorado de 3½ kg aproximadamente
100 g de manteca
4 puerros
200 g de espinaca
100 g de camarones
6 fetas de pan lactal remojadas en leche
1 cucharada de postre, de salsa inglesa
1 cucharada de postre, de eneldo picado
4 huevos, sal
3 remolachas licuadas con 2 tazas de mayonesa
1 taza de crema batida
1 kg de langostinos pelados

Preparación

1) Abrir por el vientre y limpiar el dorado y luego sacar desde adentro la carne, las espinas y huesos, dejando la piel entera.

2) Hacer un fondo con la manteca y los puerros picados, agregar los camarones y la carne del dorado, eneldo, salsa inglesa y sal a gusto, pan remojado y por último la espinaca.

3) Pasar todo por la picadora de disco fino, mezclarle las 4 yemas y en un bol montar a nieve las claras y mezclar con movimientos envolventes. Rellenar el dorado.

4) Colocarlo en una asadera amplia y dejar cocinar a horno moderado durante 40 minutos.

5) Retirar y dejar enfriar.

6) Preparar aparte una crema firme mezclando la crema batida y la remolacha licuada con mayonesa. Untar con ella todo el dorado, menos la cabeza y luego cubrir la parte untada con langostinos cortados a lo largo, o sea, con la parte exterior del langostino hacia afuera. Lustrar con gelatina sin sabor y guardar en la heladera.

Presentación

Para cada plato un medallón grueso con mayonesa verde en el fondo.

Mousse de centolla con salsa de camarones

4 personas
Tiempo de preparación: 15 minutos
Tiempo de cocción: 28 minutos

Ingredientes para la mousse

300 g de centolla
2 blancos de puerros
4 huevos
1 taza de crema
2 cucharadas de manteca
Salsa inglesa y curry mild a gusto
1 calabacín
Sal y pimienta
Jugo de ½ limón

Salsa

100 g de camarones
1 copa de cognac
1 cebolla picada chica
1 cucharada de perejil picado
400 cm³ de crema
1 taza de fumet

Preparación

1) Saltear los puerros picados en trozos, agregar la centolla. Condimentar con salsa inglesa y curry a gusto.

2) Pasar por la picadora y agregar las yemas y la crema algo batida y por último las claras bien batidas a nieve.

3) Poner todo en un bol y mezclar bien. Colocar en recipientes individuales de 200 cm^3 aproximadamente y poner a horno suave 28 minutos. Dejar entibiar y desmoldar.

4) Preparar una salsa con el fondo de cebollas, luego los camarones, flambear con cognac, agregar el fumet y la crema, diez minutos después el perejil.

5) Saltear en manteca las noisettes de calabacín con sal, limón y pimienta.

6) Presentar en el centro de cada plato la mousse y alrededor la salsa de camarones y las noisettes de calabacines.

Mousseline de centolla (salsa de champagne, juliana y trufas)

4 personas
Tiempo de preparación: 35 minutos
Tiempo de cocción: 80 minutos

Ingredientes para la mousseline

400 g de carne de centolla
1 cucharada de eneldo picado
1 cucharadita de café al ras de pimentón dulce
1 cucharadita de café al ras de coriandro
1 cucharadita de café al ras de Cayena
1 cucharadita de café al ras de mostaza inglesa
1 taza de crema
1/4 taza de perejil picado
1/4 taza de champiñones picados
3 huevos
50 g de manteca, 1 taza de leche

Salsa de champagne

1/2 botella de champagne demi-sec
3 trufas en fetas
6 champiñones en fetas
1 echalote picado fino
1/4 taza de crema
2 cucharadas de vinagre de estragón
2 yemas de huevo
Manteca
Jugo de 1 limón
Sal y pimienta negra recién molida
1/4 taza de fumet reducido
2 tazas de juliana de chauchas salteadas apenas en manteca
Patas de centolla cortadas en rodajas, con semillas de amapola
(se pondrán alrededor de la mousseline)

Preparación de la mousseline

1) En una sartén alta de cobre saltear por 3 minutos en manteca la centolla. Agregar condimentos, revolver y adicionar crema. Reducir, agregar mostaza y perejil. Reservar.

2) Hervir una taza de leche con los champiñones durante 15 minutos, agregar los huevos previamente batidos y seguir batiendo fuerte. Mezclar bien con la centolla y colocar en un molde enmantecado. Hornear a bañomaría.

Preparación de la salsa

1) En una cacerola poner manteca. Cuando esté caliente agregar el echalote picado y los champiñones. Saltear a fuego vivo y revolver constantemente. Añadir las trufas y revolver por 5 minutos.

2) Agregar el fumet y el champagne. Hervir por 10 minutos. Retirar y dejar enfriar.

3) En un bol batir las yemas con la crema. Agregar a la preparación anterior batiendo muy fuerte. Llevar otra vez al fuego sin dejar que hierva.

4) Agregar manteca, mezclando como si fuera una salsa holandesa. Salpimentar y echar jugo de limón.

Presentación

Servir en una fuente caliente, con la salsa en el fondo; sobre ella un colchón de chauchas; sobre las chauchas desmoldar la mousseline, alrededor de ésta las patas de centolla cortadas en rodajas con semillas de amapola.

Langosta como en Buzios

Esta era nuestra comida casi diaria en Buzios, a la vuelta de la pesca. Sólo hacíamos una comida por día, a las 5 de la tarde.

4 personas
Tiempo de preparación: 10 minutos
Tiempo de cocción: 45 a 55 minutos

Ingredientes

4 langostas de 150 g o más cada una
350 g de manteca
4 limones en jugo
Sal y pimienta
2 cucharadas de estragón fresco picado
2 copas de vinagre de estragón
8 papas hervidas

Preparación

1) Preparar un fuego y limpiar una parrilla.

2) Cortar en mitades las langostas y ponerlas a 15 cm de las brasas con la carne para arriba. En una copa de vinagre ablandar 100 g de manteca y agregar el estragón picado. Embadurnar con esta masa la carne de las langostas para que se derrita y penetre en los caparazones.

3) Dar vuelta y apoyar las carnes contra la parrilla a fin de que queden bien tapadas; terminar la cocción.

4) Hacer una salsa colocando en una cacerola, sobre la parrilla, el resto de la manteca, jugo de los limones, sal y pimienta, 1 cucharada de estragón picado y 1 copa de vinagre.
Batir continuamente sin dejar que la manteca clarifique.

Servir con la salsa aparte, muy caliente y mojar completamente los pedazos de carne dentro de la salsa.
Acompañar con las papas naturales.

Nuestras langostas con crema y mostazas

4 personas
Tiempo de preparación: 20 minutos
Tiempo de cocción: 40 minutos

Ingredientes

4 langostas de 100 g cada una
100 g de manteca
1 taza de crema de leche
2 copas de champagne
4 cucharadas de mostaza tipo Dijon
1 cucharada de mostaza inglesa en polvo
½ copa de vinagre de estragón
Sal, pimienta negra recién molida, Cayena, curry, cardamomo
1 cucharada de estragón picado
2 copas de jerez
1 cucharada de cognac
1 taza de gruyère rallado
2 tazas de perejil crespo

Preparación

1) Cortar las langostas en dos y retirar las carnes; conservar intactas las cáscaras. Cortar las carnes en cubos y guardarlas en lugar fresco.

2) Hacer un roux blanco y echarle de a poco jerez, champagne, mostazas, vinagre de estragón, estragón picado, sal, pimienta negra recién molida, Cayena, curry, cardamomo. No dejar espesar.

3) Con 50 g de manteca saltear las carnes, flambear con cognac. Apagar el fuego con la salsa y terminar la cocción. Encender el horno a máximo.

4) En una fuente de hornear, colocar las 8 mitades de caparazones rellenos con la carne y la salsa; espolvorear con el queso y crema.

Gratinar bien dorado. Decorar con el perejil crespo.

Langosta con curry

4 personas
Tiempo de preparación: 20 minutos
Tiempo de cocción: 80 minutos

Ingredientes

4 langostas de 150 g cada una
1 cucharada de curry Madrás
2 cucharadas de curry mild y perfumado
2 copas de vino blanco seco
1 diente de ajo
2 tazas de caldo de ave
200 g de manteca
3 cucharadas de puré de tomates
Jugo de 4 limones
Sal, pimienta negra recién molida
Arroz blanco

Preparación

1) Separar las colas de las cabezas. Reservar las colas rociándolas con jugo de 4 limones.

2) En una cacerola poner 100 g de manteca, agregar las cabezas machacadas, sal y pimienta, ajo, tomate, caldo, los dos curries, vino blanco. Hervir por 60 minutos y luego pasar por un colador chino apretando bien las cáscaras.

3) Con los otros 100 g de manteca y 1 cucharada de curry, saltear las colas cortadas en rebanadas de 2 cm de ancho.

4) Verter los jugos de las cabezas y las demás delicias en la sartén. Terminar la cocción. Retirar las carnes y espesar la salsa.

5) Hacer una corona de arroz blanco y en el medio colocar las carnes napadas con mucha salsa.

Brochette de langostinos y panceta ahumada

4 personas
Tiempo de preparación: 15 minutos
Tiempo de cocción: 20 minutos

Ingredientes

20 langostinos grandes y crudos
8 fetas de panceta ahumada muy finas
4 hojas de laurel
Sal y pimienta negra recién molida
200 g de manteca
1 cucharada de hojas de eneldo fresco picado
3 cucharadas de vinagre de eneldo
Jugo de 4 limones

Preparación

1) Salpimentar los langostinos. Envolver 8 colas de langostinos con 8 fetas de panceta.

2) En 4 pinchos poner alternativamente 3 colas de langostinos envueltas en panceta y 2 colas sin envolver comenzando y terminando con colas envueltas.

3) Cocinar en plancha o parrilla con una hoja de laurel sobre cada brochette retirándola al servir.

4) Mientras tanto, en una pequeña cacerola disolver la manteca y agregar jugo de limón, eneldo y vinagre de eneldo. Se sirve napado con esta salsa.

Crêpes como en Curaçao

4 personas
Tiempo de preparación: 10 minutos (crêpes ya listas)
Tiempo de cocción: 20 minutos

Ingredientes

4 crêpes de remolacha bastante consistentes
8 colas de langostinos
4 y 4 rodajas de ananá
2 bananas en rodajas
1 pollo (la carne cortada en dados)
1 ají colorado
1 ají verde
1 copita de Curaçao
Manteca, curry, mostaza inglesa
½ taza de caldo de ave

Preparación

1) En una sartén saltear el pollo cortado en dados con un poco de manteca, curry y mostaza. Cuando tome color echar los ajíes cortados en tiras y los langostinos.

2) Agregar Curaçao, flambear y apagar con el caldo, incorporando 4 rodajas de ananá en dados y, por último, las bananas en rodajas.

3) Rellenar las crêpes y naparlas con la salsa que quedó de la sartén.

4) A ambos lados de cada crêpe colocar ½ rodaja de ananá fría.

Crêpes de langostinos

4 personas
Tiempo de preparación: 40 minutos
Tiempo de cocción: 20 minutos

Ingredientes

2 cucharadas de cebolla de verdeo picado
48 langostinos pelados (20 de ellos cortados por el medio a lo largo)
2 cucharadas de jugo de limón
2 cucharadas de manteca
½ cucharada de estragón picado
300 g de crema de leche
1 cucharada de mostaza liviana
Sal y pimienta

Para las crêpes

100 g de harina, 350 g de agua
2 huevos, 2 yemas, aceite
3 cucharadas de puré de espinacas

Preparación

1) Mezclar harina, agua, huevos, yemas y unas gotas de aceite y batir un poco. Agregar el puré de espinacas y seguir batiendo.

2) Con esta preparación hacer las crêpes en sartén enmantecada. Deben quedar de 2 mm de espesor.

3) En otra sartén dorar en la manteca la cebolla de verdeo.

4) Agregar 28 langostinos enteros, jugo de limón, crema, mostaza y estragón, sal y pimienta. Dejar cocer 10 minutos.

5) Colocar en el centro del plato la crêpe, con los bordes recortados, sobre ella el relleno anterior y decorar con los langostinos cortados por la mitad previamente calentados.

Langostinos con salsa de curry y Cayena

4 personas
Tiempo de preparación: 10 minutos
Tiempo de cocción: 10 minutos
Tiempo de la marinada: 2 horas

Ingredientes

1 kg de colas de langostinos crudos (grandes)
1 cucharada de curry mild
1 cucharadita de café, de Cayena
1 copa de jugo de limón
1 taza de manteca
1 copa de vino blanco
1 copa de vinagre de estragón
Sal y pimienta negra recién molida
1 cucharada de estragón fresco picado
Arroz blanco

Preparación

1) Hacer una marinada con vino, limón, curry, vinagre, Cayena, pimienta negra recién molida y sal. Poner las colas en un bol y dejar con la marinada unas 2 horas.

2) Retirar las colas reservando la marinada. En una cacerola calentar los langostinos con la manteca y la cucharada de estragón picado. No dejar que se friten.

3) Retirar los langostinos y mantenerlos en lugar caliente. Agregar la marinada a la manteca y estragón. Batir suavemente.

4) Servir con arroz blanco y la salsa aparte.

Corona de arroz y langostinos

4 personas
Tiempo de preparación: 15 minutos
Tiempo de cocción: 15 minutos

Ingredientes

200 g de arroz
1 puerro, 1 zanahoria

Salsa

1 taza de vino blanco
1 taza de crema
Sal y pimienta blanca
2 cucharadas de roux blanco
20 langostinos enteros
20 colas de langostinos
200 g de manteca
½ cucharadita de café, de pimentón picante
1 cucharada sopera de cebolla de verdeo picada
2 cucharadas de jugo de limón

Preparación

1) Cocinar el arroz en agua y retirarlo a punto. Reservar.

2) Cortar en fina juliana la zanahoria y el puerro y cocinarlos en manteca. En otra sartén saltear los langostinos y las colas de langostinos con manteca y cebolla de verdeo, agregando el pimentón, 2 cucharadas de jugo de limón y el vino, sal y pimienta. Ligar con roux blanco y la crema, dejar cocinar 5 minutos.

3) Saltear el arroz blanco cocido y formar con él una corona en cada plato, dentro de ella los langostinos y sobre la corona la juliana de verduras y por último 5 langostinos sin cabeza y colgados de la corona.

Los langostinos en el Mar Rojo

Base de la receta: Alberto Lagos.

4 personas
Tiempo de preparación: 10 minutos
Tiempo de cocción: 15 minutos

Ingredientes

400 g de langostinos (sólo peladas las colas)
200 g de crema
1 copa de rhum blanco
3 cucharadas de extracto de tomate
20 g de manteca
2 cucharadas de azúcar
Sal, pimienta negra, laurel, curry
3 tazas de arroz
Colorante azul de repostería
1 copa de vino blanco

Preparación

1) Saltear los langostinos con la manteca. Verter el rhum y flambear. Apagar el fuego con la crema, agregar sal, pimienta negra, laurel, extracto de tomate, curry, 1 copa de vino blanco y azúcar.

2) Acompañar con una corona de arroz cocido en agua con colorante azul de repostería. De esa manera el arroz queda azul, haciendo de cielo alrededor de los langostinos.

3) Hacer bastante salsa para que queden bien mojadas las colas y bien coloradas.

Langostinos, salsa de oporto

4 personas
Tiempo de preparación: 5 minutos
Tiempo de cocción: 10 minutos

Ingredientes

36 colas de langostinos medianos peladas
30 g de manteca
1 copa de cognac
1 dl de crema de leche
1 copa de oporto
½ copa de vino blanco seco
1 cucharadita de café, de salvia picada
1 cucharadita de café, de romero picado
Sal, pimienta negra recién molida
Arroz blanco

Preparación

1) En una sartén derretir la manteca, saltear las colas de langostinos y flambearlas con el cognac.

2) Mover bien la sartén para que se evapore el alcohol.

3) Aparte mezclar crema de leche, oporto, vino, hierbas, sal y pimienta. Batir un minuto.

4) Apagar la llama del flambeado con esta salsa y dejar cocer y reducir.

5) Servir bien caliente, colas y salsa, sobre un colchón de arroz blanco.

Fríos de mar

4 personas
Tiempo de preparación: 15 minutos

Ingredientes

100 g de langostinos pelados
1 lata chica de centolla
100 g de camarones pelados
100 g de vieiras peladas y cortadas en cuartos
100 g de mejillones
1 planta de lechuga
30 aceitunas verdes descarozadas
1 taza de arroz blanco cocido con limón
3 tomates peritas en rodajas
10 aceitunas negras descarozadas
3 tomates peritas cortados en 4 gajos
1 cucharada de pimentón
1 cebolla en aros

Aderezo

½ taza de vino rosado
3 cucharadas de mostaza francesa
½ cucharada de mostaza en polvo inglesa
½ taza de aceite
Sal, pimienta negra en grano
½ diente de ajo muy picado

Preparación

En un bol mezclar los ingredientes, menos la lechuga y la cebolla, con el aderezo. En otro bol poner la lechuga cubriendo sus paredes, luego los frutos de mar con el arroz y las aceitunas en el centro, cubrir con los aros de cebolla y las aceitunas negras. Espolvorear con pimentón.

Brochettes de pechuguitas de codorniz (pág. 199).

Codornices en sus nidos (pág. 196).

Cordero con manteca de hierbas (pág. 168).

Faisanes con frutas (pág. 226).

Ostras gratinadas y colchón de espinacas (pág. 277).

Pato con pimienta rosa (pág. 229).

Pavos y castañas (pág. 192).

La Plus Belle Perle de la Rivière (pág. 248).

Perdices con lentejas (pág. 222).

G.D. rellenando pechugas con espinacas.

Tarta de manzanas (pág. 362) - *Naranjas y frutillas* (pág. 330).
Tarta de duraznos (pág. 363) - *Peras y menta* (pág. 333).

Plato de frutas (pág. 328) - *Tarteletas de frutillas* (pág. 360).
Peras Borgoña (pág. 334) - *Marquise* (pág. 356). *Crêpes de miel y limón* (pág. 327).

Los sesos y los langostinos (pág. 291).

Crêpes como en Curaçao (pág. 266).

Nuestras langostas con crema y mostazas (pág. 263).

Pastel de riñones (pág. 313) - *Mollejas en zócalos de hojaldre* (pág. 292).

Los langostinos en el Mar Rojo (pág. 270).

Crêpes de langostinos (pág. 267).

Soufflé helado de chocolate (pág. 351) - *de frutillas* (pág. 352) - *Omelette con helado de pistacho* (pág. 354).

Bolitas de helados de agua, salsa de naranjas (pág. 345).
Naranjas marroquíes (pág. 335) - *Higos y guayabas flambeados* (329).

G.D. decorando.

Vieiras en su concha, legumbres y crema de endibias

Restaurante "Gato Dumas", 1984.

4 personas
Tiempo de preparación: 60 minutos
Tiempo de cocción: 45 minutos

Ingredientes

½ kg de masa de hojaldre para tapar las coquillas
1 taza de puré de espinacas
1 taza de puré de zanahorias
(Los dos purés con crema, 1 yema de huevo cada uno, sal, pimienta negra recién molida. Para el de zanahoria 1 cucharada de azúcar.)

Salsa de endibias

4 endibias
50 g de manteca
Sal
Pimienta negra recién molida
1 cucharadita de café, de azúcar
1 taza de fumet de pescado
1 copa de vino blanco
½ taza de crema de leche
1 papa hervida, hecha puré, para ligar
½ cucharada de estragón fresco picado
½ cucharada de eneldo fresco picado

Para las vieiras

4 coquillas grandes enteras
24 vieiras
2 cucharadas de harina

3 cucharadas de manteca
Jugo de dos limones
1 copa de champagne demi-sec
$1/2$ taza de ciboulette picada
1 taza de juliana de zanahorias, apio, cebolla, champiñones, sal, pimienta negra recién molida, estragón y jugo de limón.

Preparación

1) Cocinar las vieiras en una sartén de cobre, de borde alto, de la siguiente manera: pasarlas por harina, dorarlas en manteca, agregarles la taza de juliana de verduras, champagne, limón y una bolita de manteca.

2) Para la juliana de verduras: saltear en manteca, primero zanahoria y apio, a los 3 minutos agregar cebolla y en 3 minutos más los champiñones, salpimentar y echar estragón y jugo de limón.

3) Hacer una juliana con las endibias, dorarlas en manteca, sal, pimienta y azúcar para sacarles el gusto amargo. Agregar vino blanco y reducir casi totalmente. Incorporar el fumet y la crema. Con una cuchara de madera remover el fondo, mezclar bien y reducir. Ligar con una papa hecha puré, agregar las hierbas.

4) Colocar las vieiras en cada coquilla con la juliana de verduras, tapar con hojaldre, pintar con huevo y hornear hasta que quede la masa dorada.

5) En platos individuales o en una fuente redonda verter la salsa de endibias. En el centro las coquillas con las vieiras y sus tapas. A los costados los dos purés.

Crema de almejas, vieiras y ostras

4 personas
Tiempo de preparación: 1 hora
Tiempo de cocción: 1 hora 50 minutos

Ingredientes

20 almejas
20 vieiras
20 ostras
1 cabeza de merluza u otro pescado blanco
1 zanahoria
1 puerro
1 apio blanco
1 cebolla mediana
1/4 litro de crema de leche natural
50 g de manteca
3 yemas de huevo
Sal, pimienta, curry
1 cucharada de postre, de mostaza tipo Dijon
1 taza de leche

Preparación

1) Poner las conchas en una cacerola con agua y llevarlas al fuego hasta que se abran. Una vez abiertas retirarlas del fuego y separar la carne, en la misma agua echar las conchas junto con la cabeza de pescado, el apio, el puerro y la zanahoria; cocinar durante 1 hora y 20 minutos.

2) Retirar del fuego, desechar las conchas, pasar por tamiz las verduras, y el caldo por un lienzo fino por si quedara un poco de arenilla. Aparte dorar durante 10 minutos la cebolla picada con la mitad de la manteca, agregar los bichos (reservando una docena de los más grandes para decorar) y la leche; salpimentar, echar curry y mostaza, y cocinar durante 10 minutos.

3) Retirar del fuego, tamizar todos los ingredientes y agregarlos al caldo. Poner de nuevo sobre el fuego la cacerola con el caldo y reducir.

Hervir durante 10 minutos revolviendo constantemente con una cuchara de madera. En la sopera que se va a utilizar para servir, mezclar la crema de leche con el resto de la manteca y las yemas de huevo. Agregar el caldo lentamente y mezclando bien.

4) Añadir como guarnición los bichos que se habían separado, verificar la sal y servir antes de que se enfríen.

Ostras gratinadas y colchón de espinacas

4 personas
Tiempo de preparación: 15 minutos
Tiempo de cocción: 10 minutos

Ingredientes

4 docenas de ostras
125 g de manteca
90 g de crema de leche
4 cucharadas de pan rallado
3 tazas de puré de espinacas
1 cucharada de postre, de curry
1 copa de vino blanco Liebfraumilch
Sal y pimienta

Preparación

1) Abrir las conchas y retirar las ostras. Colocarlas con su propio jugo en una cazuela y dejarlas cocer bien tapadas durante cinco minutos. Retirarlas del fuego y escurrirlas.

2) Derretir la manteca en una fuente de horno, agregar 4 cucharadas de pan rallado y dejar que se empape de manteca.

3) Limpiar las conchas y colocar el puré de espinacas en el fondo de las mismas, agregar un poco de vino blanco, mezclado con crema, sal y pimienta. Sobre el puré colocar dos ostras, empaparlas con más crema mezclada con curry y por encima el pan embebido con la manteca. Gratinar.

Ostras como en "Clark's" de São Paulo

4 personas
Tiempo de preparación y cocción: 40 minutos

Ingredientes

6 ostras por persona (24 ostras)
12 ostras para la salsa
2 cucharadas de cebolla de verdeo picada
100 g de manteca
2 copas de vino blanco seco
Sal, pimienta negra recién molida
1 cucharadita de salsa inglesa
1 cucharada de mostaza tipo Dijon
½ cucharada de estragón picado fino

Preparación

1) Despegar las ostras de sus conchas. Guardar su jugo dentro de una cacerolita y calentar y escalfar las ostras. Retirar del fuego, sacarlas y guardar el agua de la cacerola.

2) Picar grueso 12 ostras y guardar las otras 24 en un lugar fresco. En una sartén derretir 20 gramos de manteca y saltear la cebolla, luego agregar las ostras picadas, el vino, el agua de las ostras, sal, pimienta, mostaza, salsa inglesa y estragón.

3) Reducir. Agregar la manteca restante, previamente derretida y bien batida y las ostras enteras. Cocer durante 5 minutos. Limpiar las conchas y calentarlas en el horno, luego ponerlas en una fuente y rellenar cada una con una ostra entera, mojar bien con la salsa. Conviene elegir ostras con conchas bien grandes y profundas para aprovechar al máximo la salsa.

Se puede mezclar la salsa y las ostras picadas con 100 g de crema y luego gratinar con 150 g de gruyère rallado.

Kedgeree con lisa ahumada

4 personas
Tiempo de preparación: 20 minutos
Tiempo de cocción: 35 minutos

Ingredientes

250 g de arroz
250 g de carne de lisa ahumada
4 huevos duros
100 g de manteca
2 fetas de jamón cocido cortado en dados (1 cm x 1 cm)
2 cucharadas de ketchup
1 taza de hojas de berro
Sal y pimienta negra recién molida

Preparación

1) Cocinar el arroz en agua salada hasta que esté apenas tierno. Escurrir.

2) Eliminar piel y espinas de la lisa ahumada y desmenuzar el pescado.

3) Picar la clara de los huevos duros.

4) Fundir la manteca en una cacerola, echar el arroz. Luego agregar el pescado desmenuzado, las claras picadas y los dados de jamón. Agregar el ketchup y revolver suavemente sobre el fuego hasta que se caliente. Incorporar las hojas de berro y salpimentar.

5) Rallar las yemas de los huevos duros sobre el kedgeree y servir inmediatamente.

Sopa con curry

Si bien esta sopa no lleva pescados, está preparada con la esencia de sus jugos.

4 personas
Tiempo de preparación: 15 minutos
Tiempo de cocción: 10 minutos

Ingredientes

24 croutons fritos
50 g de manteca
1 cebolla picada
1 diente de ajo machacado y picado
1 manzana rallada
2 cucharadas de curry
8 tazas de fumet de pescado bien concentrado
1 taza de crema de leche
Pimienta blanca, cardamomo
2 copas de vino blanco seco

Preparación

Saltear suavemente en manteca la cebolla, el ajo y la manzana. Agregar curry y cardamomo. Cocinar de 3 a 5 minutos. Incorporar el caldo y el vino y dejar al fuego otros 5 minutos. Pimentar. Al servir agregar la crema batida, sin revolver, y los croutons.

Apéndice

Nuevas recetas

Codornas fulminadas, almíbar de uvas, foie gras fresco de pato o ganso

4 personas
Tiempo de preparación: 30 minutos
Tiempo de cocción: 20 minutos

Ingredientes

8 codornices
1 kg de uvas verdes
100 g de manteca
100 g de miel pura
250 cc de vino tipo Mosela
500 g de foie gras fresco
Aceite de oliva
Azúcar, sal

Preparación

1) En una sartén, derretir la manteca; agregar la miel, el vino, el azúcar y las uvas peladas. Dejar descansar dos días para lograr el almíbar.

2) Gratinar las codornices a fuego muy fuerte durante 3 minutos de cada lado, agregándoles el almíbar; deben quedar bien doradas afuera y muy rojas adentro.

3) Cortar rebanadas de 1 cm de foie y freírlas en almíbar bien caliente, vuelta y vuelta.

4) Servir las codornices en cazuelitas (2 por persona), con la fuente bañada en almíbar, las uvas y las rodajas de foie.

Consomé fuerte de carcasa de faisán, ligado con crema y tiritas de blanco y negro de faisán

4 personas
Tiempo de preparación: 15 minutos
Tiempo de cocción: 45 minutos

Ingredientes

1 faisán
200 cc de crema
1 cebolla
1 puerro
1 apio
2 zanahorias
1 bouquet garni
2 cucharadas de salsa Worcestershire

Preparación

1) En una cacerola, hervir el faisán y las verduras con abundante agua.

2) Retirar el faisán cuando esté cocido y dejar reducir el caldo; luego deshuesar el faisán y agregar la carcasa al caldo. Reducir.

3) Cortar el faisán en tiritas y agregarle el caldo con la crema.

4) Agregar caldo de ave a medida que se seque.

Crema batida minuta, champagne, queso, espumosa

2 personas
Tiempo de preparación: 5 minutos
Tiempo de cocción: 5 minutos

Ingredientes

3 huevos enteros
200 cc de crema
1 vaso de champagne
70 g de queso rallado
½ l de caldo de ave
½ cucharada de curry Madrás

Preparación

1) Batir los huevos con batidora de mano y agregar el resto de los ingredientes, previamente calentados.

2) Batir bien hasta que queden espumosos.

Crêpes de centolla

6 personas
Tiempo de preparación: 40 minutos
Tiempo de cocción: 10 minutos

Ingredientes

6 crêpes de espinaca (600 g de espinaca, 200 g de harina, 4 huevos)
500 g de centolla
250 cc de crema
100 cc de coulis de tomate
50 g de manteca
1 cucharada de mostaza
150 g de queso rallado
Sal, pimienta a gusto, curry, ciboulette picada

Preparación

1) Cocinar al vapor las espinacas.

2) Licuarlas con agua y sal, mezclarlas con la harina y los huevos y agregar agua hasta lograr homogeneidad y consistencia bastante líquida.

3) Derretir un poco de manteca a fuego mínimo sobre sartén bien limpia.

4) Retirar la manteca y con un cucharón dejar caer la mezcla para hacer los crêpes.

5) Picar con cuchillo la centolla y saltearla en manteca.

6) Salpimentar, colocar un poco de curry y ciboulette. Agregar la crema, el queso, el coulis de tomate, un poco de mostaza y dejar evaporar durante dos minutos.

7) Armar los crêpes, salsearlos y gratinarlos con el queso.

Champiñones salteados simples

2 personas
Tiempo de preparación: 5 minutos
Tiempo de cocción: 2 minutos

Ingredientes

14 champiñones grandes
2 cucharadas de aceite de oliva
50 g de manteca
1 cucharada de ciboulette picada
1 cucharadita de pimentón
2 dientes de ajo picados
½ copa de vino blanco seco

Preparación

1) Saltear con el aceite de oliva y dorar los champiñones.

2) Agregar la manteca, las hierbas, el pimentón y el vino y dejar reducir hasta obtener una salsa consistente.

3) Servir en un plato caliente con tostadas enmantecadas.

Choripán de ostras, chipolatas y vinagre de vino tinto con echalotes fileteados

6 personas
Tiempo de preparación: 10 minutos
Tiempo de cocción: 7 minutos

Ingredientes

1 pan de baguette
6 ostras grandes
6 chipolatas
250 cc de vinagre de vino tinto
8 dientes de echalotes fileteados

Preparación

1) Poner a calentar el vinagre de vino, agregarle los echalotes fileteados y dejar hervir 4 minutos.

2) Abrir las ostras y sacarlas de la concha con cuidado para no romperlas.

3) Cocinar las chipolatas en sartén, bien doradas.

4) Calentar el pan y cortar en porciones; en cada una colocar una ostra, una chipolata y bañar con vinagre y echalotes.

5) Servir bien caliente.

Chowder de vieyras en camisa de hojaldre

4 personas
Tiempo de preparación: 15 minutos
Tiempo de cocción: 22 minutos

Ingredientes

½ kg de callos de vieyras
3 tallos de puerro
40 g de manteca
½ l de crema
½ l de caldo
1 cucharada de curry mild
4 tapitas de masa de hojaldre

Preparación

1) En una sartén con manteca, colocar el puerro picado y rehogarlo.

2) Agregar las vieyras bien escurridas, la crema, el curry y el caldo. Dejar reducir hasta obtener la consistencia deseada.

3) Servir en bols que puedan ser llevados al horno, cubrir con la masa y pintar con yema de huevo. Dorar en el horno, que debe estar bien caliente.

Farfalle con salmón ahumado, champagne y crema

4 personas
Tiempo de preparación: 15 minutos
Tiempo de cocción: 8 minutos

Ingredientes

1 caja de farfalle (500 g)
200 g de salmón ahumado picado
½ l de crema
2 copas de champagne
Sal, pimienta y una cebolla chica, picada muy fina

Preparación

1) Hervir en abundante agua la pasta con dos cucharadas de aceite; mientras tanto dorar la cebolla en manteca. Cuando se torne transparente, agregar el champagne, dejar evaporar e incorporar la crema y el salmón; sazonar.

2) Colar las farfalles y saltearlas en la sartén con la salsa.

Flan de zapallo y zucchini, salsa de zanahoria y salmón ahumado

4 personas
Tiempo de preparación: 20 minutos
Tiempo de cocción: 60 minutos

Ingredientes

600 g de zapallo
4 zucchini
600 g de zanahorias peladas
300 cc de crema
8 fetas de salmón ahumado
200 cc de caldo de ave
6 huevos
Ciboulette
Semillas de eneldo
Sal, pimienta

Preparación

1) Hacer un puré con el zapallo y los zucchini.

2) Hervir las zanahorias, cortadas muy chicas, en el caldo, hasta que estén muy blandas, luego licuarlas.

3) Agregar al puré, cuando esté tibio, los 6 huevos previamente batidos y la crema.

4) Mezclar bien y cocinar a bañomaría en moldecitos de flan.

5) Servir el flan caliente o tibio sobre la salsa de zanahorias y decorar con salmón ahumado, ciboulette y eneldo.

Lomo antiguo

4 personas
Tiempo de preparación: 20 minutos
Tiempo de cocción: 10 minutos

Ingredientes

1 lomo sin cabeza ni cola
4 fetas de panceta
½ kg de cebollas chicas
½ botella de vino tinto
150 g de hongos secos

Preparación

1) Cortar el lomo en cuatro porciones iguales. Envolverlas en panceta y fijarlas con palillos.

2) Cocinar a la parrilla en sartén o plancha.

3) Dorar las cebollitas en manteca, agregar el vino tinto y los hongos y dejar reducir; si es necesario, ligar la salsa con un poco de almidón de maíz, previamente diluido.

4) Terminar de cocinar las porciones de lomo en la salsa.

Pollos BB laqueados con salsa chinoide

4 personas
Tiempo de preparación: 5 minutos
Tiempo de cocción: 15 minutos

Ingredientes

4 pollitos bebé
½ kg de miel
1 l de jugo de naranja
Romero fresco

Preparación

1) Dorar los pollos en una sartén y luego terminar de cocinarlos en el horno.

2) Colocar en una cacerola la miel, el jugo y el romero; dejar reducir.

3) Salsear los pollos con esta preparación.

Ravioles negros con callos de vieyras

4 personas
Tiempo de preparación: 60 minutos
Tiempo de cocción: 10 minutos

Ingredientes

1 kg de harina común de trigo
4 sobrecitos de tinta de calamar
250 g de crema
500 g de callos de vieyras
Coulis de tomate
Sal, pimienta negra recién molida, aceite de oliva, manteca, ciboulette, pimientos, dos gotas de jugo de ajo
100 g de queso parmesano

Preparación

1) Hacer una masa igual a la de los spaghetti negros, pues sólo difiere en el estirado y armado. Obtener dos planchas iguales de masa para armar los ravioles.

2) Para el relleno, saltear las vieyras en manteca, aceite de oliva, sal, pimienta, pimientos, ajo y ciboulette; escurrir bien (ya que los callos sueltan mucha agua) y luego agregar la crema y el queso.

3) Colocar cuatro vieyras por raviol sobre una de las planchas de masa hasta formar 16 ravioles.

4) Pintar con yema de huevo los bordes de cada raviol y colocar encima la otra plancha de masa.

5) Con una varilla de madera o tablita apretar bien en los espacios y marcar así los ravioles (aproximadamente 4 cm de lado cada uno).

6) Cortarlos con un rodillo. En este punto, es posible congelarlos o cocinarlos al vapor durante 7 u 8 minutos y luego terminar la cocción en sartén con coulis de tomate.

7) Servir en plato bien caliente sobre tomate y crema. Pueden gratinarse con queso.

Riñones de cordero, manteca de hierbas y echalotes

4 personas
Tiempo de preparación: 10 minutos
Tiempo de cocción: 5 minutos

Ingredientes

12 riñoncitos de cordero
70 g de manteca
Ciboulette picada, romero fresco
4 dientes de echalotes
2 copas de vino tinto
2 cucharadas de aceite de oliva
Arroz blanco para acompañar

Preparación

1) En una sartén grande, calentar el aceite de oliva; agregar los riñones enteros y dorarlos vuelta y vuelta a fuego muy fuerte.

2) Retirar los restos del fondo de cocción. En la misma sartén agregar la manteca y los echalotes picados.

3) Salpimentar y agregar romero, ciboulette y vino. Dejar reducir.

4) Antes de servir, cortar los riñones al medio, colocarlos en abanico con el arroz en el centro y salsear.

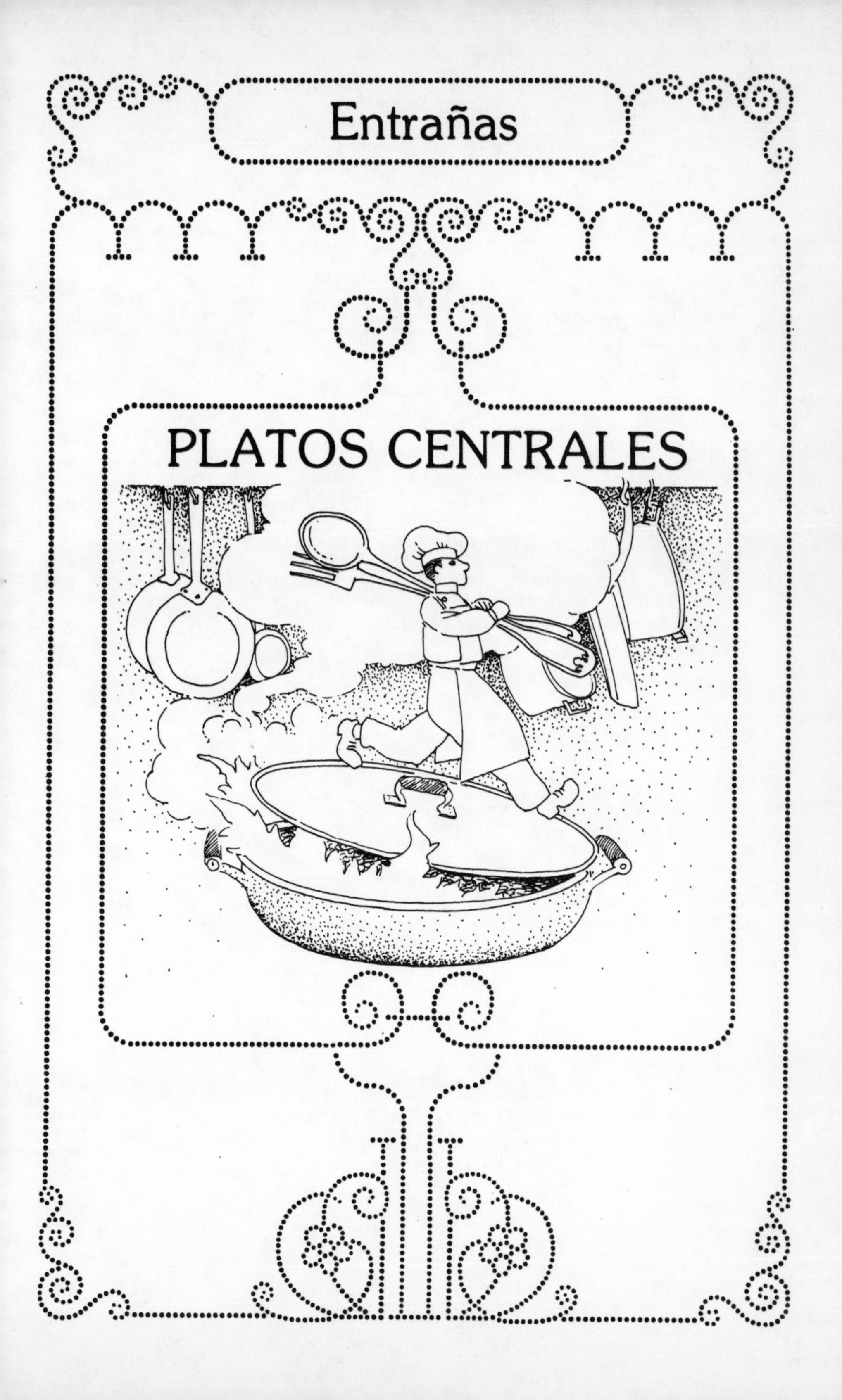
Entrañas
PLATOS CENTRALES

Riñones salteados con manteca (limón, crema y hierbas)

4 personas
Tiempo de preparación: 7 minutos
Tiempo de cocción: 7 minutos

Ingredientes

2 riñones semicongelados, limpios y cortados en láminas finísimas
½ taza de manteca
2 copas de cognac
1 taza de crema
1 cucharada de pimienta rosa
½ cucharadita de café, de nuez moscada
1 cucharada de mostaza tipo Dijon
1 cucharada de ciboulette y salvia
Jugo de 3 limones
Hojas verdes para decorar
300 g de arroz cocido

Preparación

1) Poner en una sartén grande la manteca, dejar que tome mucha temperatura, sin quemarse, echar de golpe los riñones (bien secos). Cocinar durante 2 minutos, retirar la manteca, flambear con cognac, apagar con crema las últimas llamitas del cognac. Agregar pimienta rosa, nuez moscada, mostaza, ciboulette y salvia. Verter el jugo de limón. Toda la cocción no debe pasar los 7 minutos.

2) Hacer una linda corona de arroz y rellenarla con los riñones directamente de la sartén.

3) Decorar con hojas verdes.

Riñones y patas de pollo en un zócalo de hojaldre

4 personas
Tiempo de preparación: 15 minutos
Tiempo de cocción: 50 minutos

Ingredientes

4 zócalos ovalados de hojaldre

Guarnición

2 tazas de puré de zapallo con manteca y crema
2 tazas de puré de espinaca con manteca y crema
1 taza de hojas de berro
Sal y pimienta negra recién molida

Para los riñones

2 riñones
1 cucharada de vinagre de estragón
2 cucharadas de chutney
1 cucharada de salsa de soja
2 cucharadas de manteca
1 cucharada de mostaza tipo Dijon

Para el pollo

4 patas grandes y deshuesadas, dejando el cabito del hueso de la punta
1 taza de crema
2 cucharadas de paprika
50 g de champiñones
1 cucharada de aceite, 50 g de manteca
1 copa de vino blanco seco

Preparación

1) En una sartén con 2 cucharadas de manteca saltear los riñones por 4 minutos (se habrán cortado en láminas muy finas), agregar mostaza, vinagre, chutney, soja. Retirar y mantener caliente.

2) En una sartén con manteca y 1 cucharada de aceite cocinar las patas de pollo, agregar vino y paprika y seguir la cocción; agregar crema y champiñones y terminarla.

3) Calentar los zócalos de hojaldre. En un extremo colocar el puré amarillo, luego los riñones, en el medio las hojas de berro, luego la pata de pollo napada con la salsa y finalmente el puré de espinacas.

Riñoncitos fáciles en crêpes o con arroz

Del "Gato Dumas", "cocina de los perfumes" del menú del mediodía.

4 personas
Tiempo de preparación: 10 minutos
Tiempo de cocción: 10 minutos
Tiempo de cocción y preparación de las crêpes: 150 minutos

Ingredientes

800 g de riñones
60 g de manteca, 100 g de crema
1 copa de cognac
Hierbas frescas (las que tenga)
Sal, pimienta y azúcar
Chauchas, 6 huevos
2 cucharadas de puré de espinacas o 2 cucharadas de puré de remolacha
3 tazas de agua
4 cucharadas de harina tamizada

Preparación

1) Saltear las finísimas fetas de riñoncitos en manteca apenas 2 minutos, agregar cognac y flambear.

2) Apagar el fuego con la crema. Agregar sal, pimienta y las hierbas.

3) Napar con esta preparación las crêpes.

4) *Para las crêpes:* mezclar en un bol los huevos, sal, azúcar, puré, agua y harina; dejar por 2 horas. Hacer las crêpes con manteca clarificada.

5) Acompañar con chauchas cocidas y cortadas en tiritas parejas.

En caso de urgencia, cocinar un arroz blanco y servirlo con los riñones.

Crêpes de espinacas, riñoncitos flambeados y brotes de soja

4 personas
Tiempo de preparación: 8 minutos
Tiempo de cocción: 10 minutos

Ingredientes

4 crêpes de espinacas (en el tiempo de preparación y cocción no se computan)
2 riñones limpios, jóvenes, frescos, semicongelados, cortados en láminas muy finas
2 cucharadas soperas de aceite de maíz
3 cucharadas soperas de cognac
½ bolsita de brotes de soja
2 cucharadas de cebolla de verdeo picada fina
½ cucharadita de café, de cardamomo
1 cucharadita de té, de extracto de carne
½ taza de caldo
1 vaso de vino blanco
1 cucharada de roux blanco
100 g de chutney picante

Preparación

Poner el aceite en una sartén grande y dejar que tome temperatura, echar de golpe el riñón y saltear. Sacar el aceite, incorporar la cebolla de verdeo y flambear con el cognac; dejar cocinar y agregar chutney, cardamomo, extracto de carne, caldo y vino blanco. Cuando esté cocinado añadir el roux blanco, revolver suavemente a fuego medio. Agregar ¾ partes de los brotes y servir sobre las crêpes verdes. Decorar con los brotes restantes a cada lado de las crêpes.

También se puede utilizar zócalos de hojaldre, vol-au-vent o brioches en lugar de crêpes.

Vol-au-vent de riñones flambeados

6 personas
Tiempo de preparación: 1 hora
Tiempo de cocción: 20 minutos
Tiempo de preparación de los vol-au-vent: 30 minutos
Tiempo de cocción de los vol-au-vent: 10 minutos

Ingredientes

2 kg de riñones de ternera
50 g de manteca
1 vaso de vino blanco seco
1 copa de cognac
6 cucharadas de crema de leche natural
Sal y pimienta

Para la masa de hojaldre

½ kg de harina
½ kg de manteca
1 taza de agua
1 cucharada de aceite
1 cucharadita de sal fina

Preparación de los vol-au-vent

1) Mezclar el agua y el aceite con la harina y la sal, y hacer una masa trabajándola hasta que sea homogénea.

2) Estirar sobre la mesa y colocar en el medio la manteca bien blanda, cerrar como un libro por todos los lados y estirar doblando al medio por lo menos cinco veces.

3) Dejar descansar durante 1 hora.

4) Estirar la masa hasta un espesor de 2 milímetros, cortar con un molde de 10 cm de diámetro, 6 discos y luego cortar con un molde de 2 cm 6 aros del mismo espesor.

5) Colocarlos superpuestos, el más chico sobre el más grande, ponerlos en una asadera y hornear a fuego moderado durante 10 minutos.

6) Esta masa se puede preparar el día anterior y dejar en la heladera envuelta en un repasador húmedo.

Preparación de los riñones

1) Despellejar los riñones y desgrasarlos; cortarlos en dados chicos; salpimentar.

2) Saltear los riñones en la manteca a fuego lento; agregar el vino y reducir la salsa durante diez minutos; flambear con el cognac, apagando la llama con la crema natural.

3) Rellenar los vol-au-vent y dar un golpe de horno.

4) Servir bien calientes.

Brioches de sesos de von Braun

"La Chimère", 1969.

4 personas
Tiempo de preparación y cocción: 30 minutos

Ingredientes

4 brioches grandes cortados por la mitad y vaciados
2 sesos
2 cucharadas de mostaza tipo Dijon
1 taza de crema de leche
3 cucharadas de queso gruyère rallado
1 cucharada de harina
50 g de manteca
Sal, pimienta, curry, cardamomo

Preparación

1) Lavar los sesos y darles un hervor.

2) Enfriar bajo un chorro de agua fría y retirar todas las membranas que lo recubren.

3) Dividirlos en 4 porciones y saltearlos en la manteca hasta que completen su cocción

4) Rellenar con ellos los brioches.

5) En la misma sartén mezclar manteca con harina, agregar la crema, mostaza, sal, pimienta, curry y cardamomo.

6) Acomodar los brioches en una fuente para horno cubriéndolos con la salsa.

7) Espolvorear con queso y gratinar a horno fuerte.

Los sesos y los langostinos

Esta idea es del chef Martín Carrera. Con ella se presentó al concurso gastronómico chileno 1985 y ganó el primer premio en su categoría. He tomado los ingredientes principales, pero los cociné con otras especias y suprimí el roquefort sobre las espinacas, para rociarlas con un vinagre de menta.

4 personas
Tiempo de preparación: 60 minutos
Tiempo de cocción: 30 minutos

Ingredientes

16 medallones de sesos cortados redondos y parejos
16 colas de langostinos grandes, 150 g de manteca
4 plantas de espinacas (seleccionar las mejores hojas)
2 cucharadas de mostaza tipo Dijon
1 cucharadita de té, de mostaza inglesa
½ cucharada de curry Madrás, 1 copa de jugo de limón
Sal y pimienta, 4 cucharadas de vinagre de menta

Preparación

1) Tomar 4 platos y en el medio de ellos colocar espinaca cortada en tiras de unos 2 cm de ancho en forma que divida el plato en dos.

2) Limpiar bien los sesos, blanquearlos en agua hirviendo por 5 minutos y dejar enfriar. Una vez fríos, del centro de cada seso modelar medallones de unos 6 cm de diámetro por 1 cm de altura.

3) Pelar los langostinos y reservar solamente las colas.

4) Saltear en una sartén con un poco de manteca las 16 colas con jugo de limón y el curry y salpimentar. Mantener calientes.

5) Al mismo tiempo y en otra sartén se saltearán los medallones de seso con manteca, mostazas, sal y pimienta.

6) Colocar en el lado izquierdo los langostinos, en el medio la espinaca y a la derecha los sesos, cada cual con su salsa. Servir tibios los sesos y los langostinos, fría la espinaca, rociada con el vinagre.

Mollejas en zócalos de hojaldre

4 personas
Tiempo de preparación: 30 minutos
Tiempo de cocción: 40 minutos

Ingredientes

300 g de mollejas peladas y limpias
½ botella de champagne demi-sec
1 taza de crema de leche
2 cucharadas de mostaza tipo Dijon
50 g de manteca, harina
4 zócalos de hojaldre (12 cm x 6 cm x 1 cm)
32 puntas de espárragos
Sal, pimienta, 1 pizca de cardamomo

Preparación

1) Blanquear las mollejas y dejar enfriar, luego semicongelarlas a fin de cortarlas en láminas muy finitas. Pasarlas por muy poca harina y dorarlas con la manteca.

2) Retirar de la sartén la manteca y agregar la crema, la mostaza, champagne, sal, pimienta y cardamomo. Dejar cocinar por 4 o 5 minutos.

3) Mientras tanto, se habrán cocinado las puntas de espárragos y calentado los zócalos de hojaldre (en caso de no conseguir zócalos, comprar 4 vol-au-vent y cortarlos por la mitad).

4) En una fuente colocar en el centro los 4 zócalos, cubrirlos con las mollejas con su crema. Los espárragos van a los costados en forma de corona.

Pastas

Sorrentinos de espinacas con verduras y seso, crema y oporto

4 personas
Tiempo de preparación: 20 minutos
Tiempo de cocción: 30 minutos

Ingredientes

½ seso hervido
½ cebolla
2 blancos de puerros
Manteca
Especias a gusto
1 huevo
1 cucharada de postre, de aceite de maíz
Sal
2 cucharadas soperas de cebolla de verdeo picada
1½ vaso de oporto y cognac
200 g de crema

Para la masa: 200 g de harina y 2 huevos batidos con 3 cucharadas de puré de espinaca.

Preparación

1) Preparar el relleno con la mitad de un seso hervido, ½ cebolla y 2 blancos de puerros picados y salteados en manteca. Agregar especias a gusto y sal. Pasar por la picadora y mezclar todo agregando un huevo.

2) Estirar la masa (harina, huevos y espinaca) y formar dos pliegos separados. Colocar uno en la mesa, y con una manga sin pico poner pequeños copos de relleno cada 6 cm alejados entre sí. Tapar con el otro pliego de masa y marcar cuadrados de 6 cm de lado y cortar.

3) Cocinar 7 minutos en agua hirviendo con sal y aceite. Enfriar y escurrir.

4) Hacer una salsa con 100 g de manteca y 2 cucharadas soperas de cebolla de verdeo picada, echar los sorrentinos y flambear con 1½ vaso de oporto y de cognac, y 2 minutos después 200 g de crema, dejar 8 minutos más y servir.

Presentación

Para cada plato, 4 sorrentinos sobre 4 hojas de espinacas blanqueadas; napar de salsa.

Crêpes tricolores

4 personas
Tiempo de preparación: 30 minutos
Tiempo de cocción: 15 minutos

Ingredientes

250 g de harina
3 huevos
2 yemas
600 cm^3 de leche
1 cucharada de postre, de aceite
Pizca de sal, manteca
100 g de panceta ahumada en tiritas
8 champiñones frescos en fetas
2 patas de pollo cocidas a blanco y cortadas en tiras
1 remolacha licuada con 1 huevo
2½ cucharadas soperas de puré de espinaca con 1 huevo
1 cucharada de curry liviano
½ cebolla
3 vasos de vino blanco seco
Roux blanco
Crema
1 cucharadita de curry mild

Preparación

1) En un bol colocar la harina, huevos, yemas, pizca de sal, aceite y leche. Batir todo para lograr una masa ni muy espesa ni muy liviana. Si hace falta agregar agua o harina.

2) Separar la masa en 3 partes iguales. A una parte agregarle una remolacha licuada con 1 huevo. A otra parte 2½ cucharadas soperas de puré de espinaca licuada, también con un huevo, y a la parte que resta una cucharada de curry liviano.

3) Cocinar individualmente en sartén como crêpes comunes a fuego moderado.

4) Cortar la pasta como cintas de 5 cm de largo por 1 cm de ancho. Mezclar todo y agregar la panceta, los hongos y el pollo, previamente salteados en manteca.

Salsa

Poner en una sartén ½ cebolla picada y rehogar; agregar 3 vasos de vino blanco seco y reducir un poco. Ligar con roux blanco, revolver bien y agregar la crema, 1 cucharadita de curry mild y sal a gusto.

Agnolotti y langostinos

4 personas
Tiempo de preparación: 30 minutos
Tiempo de cocción: 20 minutos

Ingredientes para la masa

200 g de harina, 1 huevo, sal
2 cucharadas soperas de puré de espinacas licuadas con 1 huevo
1 cucharadita de té, de aceite
2 cucharadas soperas de agua tibia
Empastar, trabajar, formar un bollo, dejar descansar

Relleno

Preparar una pasta con tomates, champiñones, cebolla rehogada, langostinos y manteca, todo pasado por el disco fino de la picadora y mezclado con 1 huevo. Aparte tener 24 langostinos pelados, sin cabeza, sin cola y salteados en manteca.

Preparación

1) Estirar la masa hasta 2 mm de espesor.

2) Cortar círculos como tapas para empanadas y armar los agnolotti. Cocer en agua con aceite y sal. Para que no se abran, antes de cerrar pasarle clara de huevo con un pincel a los bordes de la masa y al relleno.

Presentación

Flambear la pasta con una copa de buen cognac y agregar a fuego suave salsa americana con centolla molida y salsa inglesa.

Se coloca sobre cada plato hojas de berros y sobre ellos 4 agnolotti napados en salsa.

Gnocchi bomba

6 personas
Tiempo de preparación: 30 minutos
Tiempo de cocción: 15 minutos

Ingredientes

1 cucharada de aceite, ½ litro de agua
350 g de harina, 4 huevos
1 taza de queso rallado
3 cucharaditas de café, de curry
½ taza de puré de espinacas
4 patas de pollo deshuesadas
100 g de panceta ahumada
80 g de champiñones
300 cm^3 de crema de leche
250 cm^3 de vino blanco, manteca
2 echalotes picados
Roux blanco, sal, pimienta

Preparación

1) Hervir el agua con el aceite y la sal. Cuando rompa el hervor echar de golpe la harina y revolver con cuchara de madera hasta que la masa se desprenda de los costados.

2) Agregar el curry y los huevos, de a uno, batiendo cada vez que se agrega un huevo.

3) Finalmente, incorporar el puré de espinacas y batir.

4) Hacer hervir unos 3 litros de agua con 2 cucharadas de sal gruesa. Colocar la pasta en una manga con boquilla lisa. Ponerse al lado de la cacerola y cuando rompa el hervor bajar el fuego e ir apretando la manga, cortando gnocchi de 2 cm de largo con una cuchara; dejarlos caer en el agua.

5) Cuando suban a la superficie dejarlos 2 minutos y sacarlos conservando al calor.

6) Aparte cocinar las patas al horno, y cuando estén listas sacarles la piel, deshuesarlas, cortar la carne en juliana fina.

7) Saltear ligeramente la panceta en juliana, los champiñones en fetas, en un poquito de manteca. Mezclar con el pollo y luego con los gnocchi.

8) Dorar los echalotes en una nuez de manteca, agregar el vino blanco y dejar hervir. Ligar con roux blanco y agregar crema, pimienta y curry.

9) Mezclar la salsa con los gnocchi, colocar en cazuelas individuales o platos y gratinar un instante antes de servir.

Cazuelas y guisados

Cazuela de liebre

20 personas
Tiempo de preparación: 30 minutos
Tiempo de cocción: 70 minutos

Ingredientes

4 liebres grandes
½ botella de cognac
1 taza de vinagre de estragón
2 cucharadas de tomillo, 8 hojas de laurel
Sal y pimienta negra recién molida
2 litros de leche
1 planta de apio cortada en juliana
4 morrones colorados y 4 morrones verdes cortados en tiras
2 tazas de dados de puerros
½ taza de cebolla de verdeo en juliana
1 taza de zanahorias en juliana
300 g de manteca, 4 cucharadas de aceite de maíz
1 kg de champiñones chicos cortados en cuatro
2 tazas de crema
2 cucharadas de extracto de carne
1 cucharada de curry

Preparación

1) Limpiar bien las liebres y en una gran cacerola bañarlas en cognac, vinagre, tomillo, laurel, sal y pimienta negra recién molida, curry, cubrir con leche y procurar que las carnes estén todas mojadas. Dejar 24 horas en lugar fresco.

2) En la misma cacerola, con todos los ingredientes, comenzar la cocción a fuego lento. Dejar 15 minutos después que rompa el hervor.

3) Retirar del fuego, escurrir y, cuando esté fría, deshuesar y cortar la liebre en dados grandes.

4) Hacer un fondo con apio, morrones, puerros, cebolla de verdeo, zanahorias, rehogándolos en manteca y aceite.

5) Agregar los champiñones y la carne y aumentar el fuego sin dejar de controlar. Echar pimienta negra.

6) Incorporar la crema y el extracto de carne. Dejar 15 minutos y retirar. Dejar reposar 5 minutos y servirlo con tostadas de pan frito.

Curry fuerte de cordero

20 personas
Tiempo de preparación: 60 minutos
Tiempo de cocción: 60 minutos

Ingredientes

4 kg de carne desgrasada de cordero cortada en dados
5 cucharadas de curry Madrás
½ taza de aceite de maíz
3 manzanas verdes cortadas en dados
3 hojas de laurel
5 clavos de olor
4 cucharadas de manteca
2 cebollas picadas finas
2 dientes de ajo picado fino
1 taza de tallos de apio en juliana
3 dl de caldo de carne
1 cucharada de jengibre
1 cucharadita de té, de paprika junto con Cayena
Opcional: 1 taza de yogurt natural
1 taza de leche de coco

Preparación

1) En una cacerola grande de hierro colocar la manteca y el aceite. Dorar la cebolla y agregar los dados de manzana.

2) Dorar los cubos de carne con el laurel, ajo, apio, clavos de olor, curry, jengibre y paprika. Una vez que estén dorados agregar el caldo de carne y, por último, si se desea, los opcionales.

3) Acompañar con arroz con pasas, cubos de banana frita, coco rallado, flores de coliflor salteadas en manteca, morrones verdes y colorados cortados en tiras y salteados en manteca, un buen chutney picante y huevos duros picados.

Servir estas guarniciones en platos separados.

Porotos en barro

12 personas
Tiempo de preparación: 15 minutos
Tiempo de cocción: 6 horas

Ingredientes

1,5 kg de porotos secos colorados
3 cucharadas de postre, de mostaza en polvo disuelta en 1 copa de jerez
3 cucharadas soperas de sal
8 cebollas
3 cucharadas soperas de miel de abejas
150 g de azúcar
Sal, pimienta negra, curry, 2 clavos de olor
900 g de panceta salada
6 cucharadas de melaza (en caso de no tener, reemplazar con miel)

Preparación

1) Lavar los porotos y remojar desde el día anterior.

2) Cortar la panceta en dados de 2 x 2 y hervir durante 10 minutos.

3) En un recipiente de barro alternar capas de porotos, cebolla cortada en aros gruesos y dados de panceta.

4) Agregar un litro de agua mezclada con miel, azúcar, mostaza, sal, pimienta, curry, clavos y melaza.

5) Tapar y cocinar a horno suave hasta que los porotos y la panceta estén muy tiernos (puede llevar entre 6 y 8 horas de cocción).

También se puede cocinar a fuego lento directo y suave.

Pasteles

Pastel de papas del pastor

4 personas
Tiempo de preparación: 20 minutos
Tiempo de cocción: 60 minutos

Ingredientes

450 g de roast-beef cocido picado grueso
1 cebolla picada
2 tazas de caldo concentrado
1 cucharada de salsa de soja
1 cucharada de perejil picado
2 cucharadas de aceite de oliva
1 cucharadita de café, de hierbas frescas picadas
Sal y pimienta negra recién molida
1 cucharada de ciboulette picada

Cobertura de papa

1 kg de papas peladas, hervidas y pisadas
1 taza de crema
3 cucharadas de manteca
2 huevos batidos
Sal y pimienta negra recién molida

Preparación

1) Enmantecar una fuente de hornear profunda.

2) Precalentar el horno hasta calor moderado (200°).

3) Saltear en aceite de oliva la cebolla picada hasta que esté tierna y transparente. Agregar el roast-beef picado, caldo, salsa de soja, perejil picado, ciboulette y las hierbas, sal y pimienta. Retirar del fuego.

4) *Cobertura de papa*: Batir la crema con la manteca fundida, los huevos batidos; mezclar con el puré de papa caliente, salpimentar.

5) Poner la carne en la fuente de horno enmantecada, cubrir con el puré y pintar con el resto de la manteca derretida.

6) Hornear durante 20 minutos hasta que el puré tome consistencia y levante un poco, y adquiera un color dorado.

Pastel de riñones

Ideal para almorzar los domingos de invierno, en cama y viendo TV con todos los diarios y un buen Cabernet. Afuera está lloviendo...

4 personas
Tiempo de preparación: 50 minutos
Tiempo de cocción: 40 minutos

Ingredientes

1 kg de riñones de ternera
300 g de panceta cortada fina
1 cebolla picada
1 taza de caldo muy concentrado
2 hojas de laurel
100 g de champiñones cortados en láminas
1 copa de oporto
2 cucharadas de mostaza tipo Dijon
Sal, pimienta negra recién molida, curry
1 cucharadita de café, de mostaza Colman's

Ingredientes para la masa

½ kg de harina
200 g de manteca
1 cucharadita de polvo de hornear
2 huevos
Sal, agua helada
Manteca

Preparación

1) Preparar la masa: tamizar la harina, sal y polvo de hornear dentro de un bol.

2) Incorporar la manteca en daditos y mezclar hasta que tome consistencia granulosa.

3) Agregar el agua trabajando la masa con la punta de los dedos hasta formar un bollo firme.

4) Dejar reposar y estirar con palo de amasar hasta conseguir un disco que cubra la fuente de horno a utilizar.

5) En un recipiente para horno colocar los riñones cortados en escalopes envueltos en la panceta.

6) Agregar la cebolla, laurel, caldo, oporto, sal, mostaza, pimienta, curry, Colman's y los champiñones.

7) Cubrir con la masa y adornar con recortes decorando con los huevos batidos.

8) Hornear durante 40 minutos a fuego moderado.

Pastel de codornices y champiñones

4 personas
Tiempo de preparación: 20 minutos
Tiempo de cocción: 45 minutos

Ingredientes

10 codornices deshuesadas y cortadas en trozos pequeños
½ taza de cebolla de verdeo en juliana
3 echalotes picados
100 g de manteca
100 g de champiñones enteros y chicos
2 tazas de caldo de verduras y los huesos de las aves
5 dl de vino blanco seco
1 cucharada de extracto de carne
2 dl de crema
1 tapa de media hojaldre
2 yemas de huevo
Roux blanco

Preparación

1) Deshuesar las codornices, cortarlas en trozos pequeños y rehogarlas con manteca en un fondo de cebolla de verdeo y echalotes.

2) Agregar los champiñones, 2 tazas de caldo hecho con verduras y los huesos de las aves.

3) Verter 5 dl de vino blanco. Dejar cocinar por 15 minutos, ligar con el roux blanco necesario, agregar 1 cucharada de extracto de carne y 2 dl de crema.

4) Dejar enfriar y tapar con la masa pintada con yemas de huevo.

5) Hornear y dejar dorar.

Guarniciones

Puerros con crema y vino blanco

Esta es una perfecta guarnición para carnes rojas bien jugosas.

4 personas
Tiempo de preparación: 10 minutos
Tiempo de cocción: 2 horas

Ingredientes

1 kg de puerros medianos, bien parejos
100 g de manteca
20 g de harina
½ botella de vino blanco seco
1 taza de crema de leche
Sal, pimienta negra, macis, curry, Colman's
1 cucharadita de postre, de estragón picado fino
1 copa de vinagre de estragón

Preparación

1) Lavar y deshojar los puerros, cortarlos en bastones iguales.

2) Hacer un roux blanco (sin tostar la manteca) y agregar los puerros, vino blanco, sal, pimienta, macis, curry, Colman's, estragón y vinagre de estragón.

3) Tapar y cocinar a fuego suave durante 2 horas.

4) Cuando estén tiernos, colocarlos en una fuente para servir, napando con la salsa, a la que se le habrá añadido la crema a último momento. Decorar con croutons fritos.

Papas nuevas salteadas con hierbas

4 personas
Tiempo de preparación: 20 minutos
Tiempo de cocción: 20 minutos

Ingredientes

1 kg de papas nuevas pequeñas
4 cucharadas de aceite de oliva
1 cucharada de perejil bien picado
1 cucharada de ciboulette picada
4 echalotes picados finos
Sal y pimienta negra recién molida
Jugo de 2 limones

Preparación

1) Pelar las papitas y freírlas enteras en aceite de oliva y con las hierbas finamente picadas.

2) Sazonar con sal y pimienta negra recién molida, jugo de limón, y saltear hasta que estén bien doradas. Servir inmediatamente.

Papas quiméricas

Estas papas eran la guarnición de los "lomos quiméricos ardientes" y siguen en mis menús con platos de carnes rojas.

4 personas
Tiempo de preparación: 30 minutos
Tiempo de cocción: 30 minutos, aproximadamente

Ingredientes

4 yemas de huevo
4 cucharadas de queso rallado (gruyère)
4 cucharadas de crema de leche
1 kg de papas
Sal y pimienta negra
Macis

Preparación

1) Hervir las papas con su piel, retirar, pelar y pasar por tamiz,

2) Mezclar con las yemas de huevo, macis, queso rallado, crema y salpimentar.

3) Moldear con la mano 8 bolas, hacer un pequeño orificio en la parte superior de cada una y llenarla con crema natural.

4) Ponerlas en una asadera enmantecada y espolvorear con queso rallado; hornear aproximadamente durante 5 minutos o hasta que queden bien gratinadas.

Papas Siobhan

4 personas
Tiempo de cocción: 60 minutos

Ingredientes

½ kg de papas, ½ cebolla (opcional)
150 g de manteca
Sal, pimienta negra, curry, mostaza tipo Dijon
1 copa de vino blanco seco
1 cucharada de eneldo picado

Preparación

1) Enmantecar una sartén o fuente redonda de dieciocho centímetros de diámetro, acomodar en el fondo las papas peladas y cortadas en rodajas muy finas, y en los bordes hacer un sostén vertical de tres rodajas de ancho.

2) Una vez colocada la primera capa, salpimentar, mezclar el vino blanco con eneldo, curry y mostaza e ir espolvoreando con esta mezcla las papas y desparramar trocitos de manteca.

3) Repetir la operación hasta distribuir todas las papas.

4) Enmantecar una tapa de cacerola y prensar con ella las papas.

5) Hornear a fuego fuerte durante 25 minutos.

6) Retirar y prensar bien el centro de las papas con una espátula.

7) Cocinar otros 20 minutos hasta que las papas luzcan doradas y bien tiernas.

8) Retirar y reposar unos minutos para que se despegue de la sartén cualquier resto de papa. Con un plato prensar y dar vuelta la sartén para que caiga el exceso de manteca.

9) Servir muy caliente y decorar con hojas de perejil.

10) Si se desea puede agregarse entre capa y capa de papas un poco de cebolla rallada.

Pequeños timbales colorados de queso tibio

8 personas
Tiempo de preparación: 15 minutos
Tiempo de cocción en bañomaría: 60 minutos

Ingredientes

8 huevos enteros
Crema (igual volumen que los huevos)
Queso rallado
Pimienta
Remolacha cocida y licuada

Preparación

1) Mezclar los huevos con la crema.

2) Agregar queso hasta darle una buena consistencia. Pimentar.

3) Incorporar puré de remolacha para darle color.

4) Moldear en individuales, colocarlos en una asadera con agua y hornear durante 60 minutos.

Postres y
otros dulces

Crêpes de miel y limón

4 personas
Tiempo de preparación: 10 minutos
Tiempo de cocción: 15 minutos

Ingredientes

8 crêpes bien finas, 2 copas de Grand Marnier
Juliana de cáscara de 2 limones blanqueada en agua caliente
100 g de miel, jugo de 2 limones, manteca

Preparación

1) En una sartén colocar manteca a fuego liviano, la juliana de cáscara de limón, miel, preferentemente de eucalipto o rosas, y el jugo de limón. Una vez diluidos estos elementos agregar las crêpes abiertas. Verter el licor y cocinar hasta que se calienten bien las crêpes y desaparezca el olor a alcohol.

2) Doblar las crêpes en cuatro y servirlas en un plato bien caliente napadas con la salsa.

Crêpes blancas

Ingredientes para 4 personas (8/10 crêpes)

32 g de harina, 65 cm^3 de leche, 2 huevos, 1 yema
1 cucharada sopera de azúcar y 3 de manteca

Preparación

Mezclar la harina, la leche y los huevos, junto con la yema y el azúcar. Batir todo mezclando bien. Calentar una sartén de aproximadamente 25 cm de diámetro. Hacer las crêpes bien finas y doradas.

Plato de frutas y salsas bicolores

4 personas

Ingredientes

Naranjas, peras, manzanas, pomelos, frutillas, melón, bananas, higos, duraznos u otras frutas según la estación (y en cantidades según la combinación de sabores y colores que desee)

Salsas

150 g de azúcar, 2 tazas de agua, 1 taza de vino blanco
8 frutillas, fécula
2 copas de licor Grand Marnier, 1 copa de jugo de naranja

Preparación

1) La base de este plato es la combinación de sabores de las frutas y su disposición armoniosa en un plato blanco y grande, cortadas según distintas características, por ejemplo:

2) Las naranjas se pelarán a vivo e irán en rodajas o gajos, las peras y manzanas en tajaditas manteniendo su forma entera, las frutillas sin el brote y enteras, el melón en bolitas hechas con el moldeador de papas noisettes, las bananas cortadas oblicuamente, y así sucesivamente.

3) La distribución en el plato se hará buscando un centro y acomodando las frutas con cierta simetría.

4) Preparar un almíbar liviano con azúcar, agua y vino.

5) Distribuirlo en dos cacerolitas, a una agregarle las frutillas licuadas con media taza de agua; a otra, Grand Marnier y jugo de naranja.

6) Dejar reducir ambos unos 10 minutos a fuego suave y ligar muy ligeramente con una punta de fécula disuelta en un poco de vino blanco. Servir las salsas aparte.

Higos y guayabas flambeados

4 personas
Tiempo de preparación: 5 minutos
Tiempo de cocción: 20 minutos

Ingredientes

1 lata chica de guayabas en casco con la mitad de su almíbar
1 lata chica de higos en almíbar con la mitad de su jugo
2 a 3 copas de crema de cacao
2 cucharadas de crema fresca
1 taza de azúcar
1 cucharada de manteca

Preparación

1) En una sartén profunda, si es posible de cobre, hacer un caramelo con el azúcar e ir agregando los jarabes de a poco.

2) En otra sartén, con una cucharada de manteca, saltear las frutas, agregar el licor y flambear. Remover bien para que queme. Agregar el almíbar de la otra sartén y la crema.

Opcional

Para este opcional suprimir las 2 cucharadas de crema. Acompañar con helado de pistacho. Quedan muy lindos los colores. Brillantes y transparentes los higos verdes, rojizas las guayabas y el verde del pistacho.

Naranjas y frutillas

4 personas
Tiempo de preparación: 20 minutos
Tiempo de congelación: 60 minutos

Ingredientes

4 naranjas
1 kg de frutillas
Gelatina (cantidad suficiente)
Merengue italiano

Preparación

1) Vaciar prolijamente las naranjas después de cortarles la tapa superior.

2) Lavar las frutillas y limpiarlas; si son muy grandes cortarlas en cuatro, si son medianas cortarlas por la mitad, y dejar enteras si son pequeñas.

3) Rellenar las naranjas con las frutillas colocándolas en forma decorativa.

4) Cuando están llenas cubrir con una gelatina liviana que se habrá preparado con lo que se sacó de las naranjas al vaciarlas.

5) Colocar en el congelador durante 1 hora, y antes de servirlas decorarlas con merengue italiano.

Merengues, kiwis, frutillas, uvas y frambuesas

En este caso doy preferencia a los fantásticos kiwis y los acompaño con frutillas en mitades, frambuesas y uvas verdes peladas y sin semillas.

4 personas
Tiempo de preparación: 30 minutos
Tiempo de cocción: 90 minutos

Ingredientes

400 g de frutas de temporada
3 dl de crema fresca bien batida

Para el merengue

250 g de azúcar, 1 cucharadita de té, de maicena
4 claras de huevo, 1 cucharadita de té, de jugo de limón
3 gotas de extracto de vainilla, 1 pizca de sal

Preparación

1) Prender y calentar el horno a 140°C.

2) *Para el merengue*:

a) Montar a nieve las claras con muy poca sal, luego agregar la mitad del azúcar, cucharadita a cucharadita, batiendo bien.

b) Mezclar el resto del azúcar con la maicena, incorporarlo a las claras con el jugo de limón y el extracto de vainilla.

c) Poner en la placa, hacer una presión en el centro a fin de que quede hundido y hornear por 1 hora y 30 minutos. Dejar enfriar. Al sacar el merengue del horno debe estar un poco blando.

3) *Preparar las frutas*: Los kiwis en rebanadas redondas, las frutillas en mitades, igual las uvas, y enteras las frambuesas.

4) Batir los 3 dl de crema y colocarla en el hueco del merengue, luego desparramarla por encima del mismo. Colocar las frutas, combinando adecuadamente sus colores.

Old English Trifle

6 personas
Tiempo de preparación: 15 minutos
Tiempo de cocción: 29 minutos

Ingredientes

1 lata de duraznos
150 g de dulce de membrillo
1,5 dl de Marsala
1 taza de vainillas desmenuzadas

Cobertura

2 cucharadas de maicena, 2 cucharadas de azúcar, 3 dl de leche caliente, 3 yemas, 5 dl de crema espesa
½ cucharadita de té, de esencia de vainilla
Azúcar, frutillas frescas para decorar

Preparación

1) Escurrir los duraznos. Hacer un puré con una batidora. Cortar el dulce en rodajas. Disponer las rodajas en la base de un bol de vidrio grande, reservando de 4 a 6 rodajas para decorar. Volcar el Marsala sobre las rodajas y colocar el puré de duraznos sobre ellas.

2) Para preparar la cobertura: mezclar la maicena con el azúcar hasta formar una suave masa junto con un poco de leche. Combinar con el resto de leche caliente, esencia de vainilla, crema y azúcar, en una cacerola a bañomaría, revolviendo continuamente hasta que la masa se espese. Retirar del fuego y agregar las yemas una por vez.

3) Cuando esté bien unido hervir suavemente a bañomaría, revolviendo constantemente por 10 minutos. Agregar las vainillas desmenuzadas y dejar que se embeban hasta que se ablanden.

Luego batir bien hasta disolver. Enfriar y decorar con frutillas.

Peras y menta

12 personas
Tiempo de preparación: 10 minutos
Tiempo de cocción: 40 minutos

Ingredientes

1 litro de vino blanco, 1 litro de agua
300 g de azúcar
3 copas de licor de menta
1 ramillete de menta fresca
1 limón
400 g de crema de leche
2 cucharadas de colorante verde
1 kg de helado de crema
12 peras grandes no muy maduras

Preparación

1) En una cacerola amplia para que entren cómodas las 12 peras, poner vino, agua, azúcar y dejar hervir durante 15 minutos.

2) Pelar las peras muy parejas con un pelapapas.

3) Colocarlas en la cacerola con el almíbar y agregar 1 copa de licor, el ramillete de menta fresca y el colorante. Tapar y dejar hervir 20 minutos. Cada 5 minutos darlas vuelta para su cocción pareja.

4) Mientras se cocinan las peras, rallar la cáscara del limón y en un bol batir la crema agregando el jugo y la ralladura. Seguir batiendo hasta que quede como una crema chantilly.

5) Una vez cocinadas las peras retirarlas y ponerlas en un recipiente cómodo. Agregarle las 2 copas de licor que habían quedado; enfriar en la heladera.

6) Servir en plato de postre con el almíbar verde, una bolita de helado y una cucharada de crema con limón.

7) Decorar con hojas de menta fresca y servir bien frío.

Peras Borgoña

Del "Drugstore", año 1971.

4 personas
Tiempo de preparación: 10 minutos
Tiempo de cocción: 70 minutos

Ingredientes

4 peras grandes un poco verdes
1½ botella de vino Borgoña tinto
400 g de azúcar
1 copa de agua
300 g de crema natural
4 bolas de helado de pistacho

Preparación

1) En una cacerola baja poner vino, agua, 300 g de azúcar y dejar reducir hasta que se forme un almíbar brillante.

2) Pelar las peras muy parejas; con un sacabocados sacar el centro de las peras (más o menos de 1 cm de diámetro).

3) Colocar las peras en la cacerola con el almíbar, cocinar hasta que tomen color. Cuando estén blandas, retirarlas y dejar enfriar.

4) Montar la crema con los 100 g restantes de azúcar.

5) Dejar enfriar el almíbar. Rellenar las peras con la crema y servir con una bola de helado de pistacho por persona. Napar bien con el almíbar.

Naranjas marroquíes

Del "Drugstore", año 1972. Fresca, ideal para media estación.

4 personas
Tiempo de preparación: 15 minutos
Marinada: 1 día

Ingredientes

6 naranjas
12 dátiles picados
36 almendras tostadas y picadas
1 copa de pasas remojadas en oporto
Jugo de 2 limones con 1 copa de agua y azúcar
1 copa de licor de almendras
1 copa de oporto
Canela

Preparación

1) Pelar las naranjas, quitarles las semillas y cortarlas en rodajas.

2) Ponerlas en un bol con los dátiles, las almendras, las pasas, el jugo de los limones con el agua y el azúcar, el licor de almendras y la copa de oporto.

3) Enfriar en la heladera durante un día.

4) Antes de servir, espolvorear con canela.

Bolitas de colores con kümmel

4 personas
Tiempo de preparación: 30 minutos

Ingredientes

2 tazas de bolitas de melón blanco
2 tazas de bolitas de melón amarillo
2 tazas de bolitas de sandía
4 hojas de menta
150 g de crema
2 cucharadas soperas de azúcar
Kümmel

Preparación

1) Mezclar la crema con el azúcar y batir ligeramente.

2) Mezclar las bolitas.

3) Distribir las bolitas en cuatro copas de champagne chatas y profundas, napar con la crema, espolvorear con las semillas de kümmel y decorar con una hojita de menta.

Delicias de una nieve de kiwis

4 personas
Tiempo de preparación: 15 minutos

Ingredientes

6 kiwis
120 g de azúcar
Gotas de vainilla
½ copa de vino blanco seco
4 claras a nieve bien montadas
1 pizca de sal

Preparación

1) Pelar 5 kiwis, cortarlos en pedacitos, reservar un kiwi que también se pelará y servirá para decorar.

2) Pasar los 5 kiwis por licuadora con azúcar, gotas de vainilla y vino blanco seco.

3) Montar las claras a nieve con 1 pizca de sal, ir agregando la pasta de kiwis, poco a poco, sin dejar de batir.

4) Pasar a copas altas y finas, tipo flauta, y decorar con rodajas de kiwis.

Debe servirse inmediatamente.

Delicias de crema caliente y almendras

4 personas
Tiempo de preparación: 15 minutos
Tiempo de cocción: 45 minutos más 5 minutos de gratinado

Ingredientes

4 cucharadas de azúcar
3 cucharadas de agua
300 ml de leche
4 huevos
300 ml de crema batida
2 cucharadas de almendras picadas
2 cucharadas de azúcar impalpable

Preparación

1) Poner 3 cucharadas de azúcar y 3 cucharadas de agua en una cacerola, llevar a un hervor revolviendo para disolver el azúcar.

2) Hervir sin revolver hasta que el jarabe tome color caramelo. Enfriar.

3) En el fuego, gradualmente, echar la leche al caramelo, revolviendo.

4) Volver a fuego bajo y revolver hasta que los ingredientes estén bien mezclados.

5) Retirar del fuego y echar los huevos lentamente, batiendo fuerte. Agregar el azúcar restante y la crema batiendo continuamente. Pasar por un colador a una fuente de horno o potes individuales. Colocar esta fuente o potes dentro de otra fuente más profunda con agua caliente hasta la mitad. Hornear a bañomaría a 150° C. Cocinar durante 45 minutos. Retirar y espolvorear con las almendras y el azúcar impalpable y gratinar por 5 a 10 minutos hasta que quede marrón.

Syllabub o Elizabeth Moxon's Lemon Posset

Es un postre de Elizabeth Moxon. Lo comí en Londres en el año 1970 cuando fui a inspirarme para hacer el "Drugstore". Este postre estaba de moda en ese tiempo. Lo traje al "Drugstore" y luego fue copiado por muchos restaurantes.

4 personas
Tiempo de preparación: 20 minutos

Ingredientes

600 g de crema fresca batida
Jugo de 2 limones
Cáscara rallada de 2 limones
150 cm^3 de vino blanco seco
2 cucharadas de azúcar impalpable
3 claras de huevo batidas a nieve
Cáscara rallada de 1 naranja

Preparación

1) Mezclar la cáscara rallada de los limones con la crema; batir hasta endurecer.

2) Agregar el jugo de limón y el vino blanco seco; luego el azúcar y seguir batiendo.

3) Batir las claras de huevo a nieve aparte, agregarlas a la mezcla anterior y enfriar.

4) Al servir espolvorear con la ralladura de naranja.

Mousse con miel y chocolate

4 personas
'*Tiempo de preparación*: 5 minutos
Tiempo de cocción: 10 minutos

Ingredientes

1 taza de miel (preferentemente de rosas)
10 claras de huevo
200 g de crema fresca bien batida
1 taza de chocolate en rama

Preparación

1) En una cacerola de doble fondo, cocinar a bañomaría la miel con las claras, revolviendo constantemente hasta que se forme una crema y tome consistencia.

2) Llevar a un bol y colocarlo sobre hielo. Batir fuerte, hasta enfriar.

3) Agregar la crema batida, mezclar bien y llevar a la heladera por 4 horas.

4) Al servir decorar con el chocolate en rama.

Espuma de moras

4 personas
Tiempo de preparación: 10 minutos
Tiempo de cocción: 30 minutos

Ingredientes

500 g de moras
150 g de azúcar
1,2 dl de crema espesa, batida

Preparación

1) Limpiar y lavar las moras. Ponerlas en una cacerola esmaltada con 1,5 dl de agua y azúcar. Cocinar hasta que estén suficientemente tiernas y pasarlas luego por cedazo.

2) Preparar un custard mezclando la crema batida (reservar un poco de crema para decorar) con el puré de moras y servir en un bol de vidrio y en copas individuales. Decorar con crema batida.

Puede usarse como relleno de crêpes dulces.

Estas crêpes pueden hacerse coloradas, usando 1 o 2 cucharadas de puré de moras, mezclado en la masa de las crêpes.

Espuma fría de café

4 personas
Tiempo de preparación: 3 horas
Tiempo de cocción: 20 minutos

Ingredientes

6 cucharadas al ras de café instantáneo
6 dl de agua
200 g de azúcar
6 cubos de hielo
1 taza de crema batida

Preparación

1) Mezclar el café con 3 a 4 dl de agua en una cacerola, agregar azúcar a gusto. Hervir, revolviendo constantemente. Reducir el calor y seguir hirviendo durante 5 minutos. Retirar del fuego. Agregar 3 dl de agua y los cubitos de hielo, revolver hasta que el hielo se haya fundido. Poner en una bandeja en el refrigerador y congelar por una hora y media o una hora y tres cuartos o hasta que el hielo esté firme en los bordes.

2) Poner el helado en el bol de una batidora y mezclar a velocidad media hasta que la mezcla esté suave y cremosa.

3) Poner en dos fuentes y congelar hasta que se solidifique. Esto llevará aproximadamente una hora.

4) Cuando esté listo para servir, revolver el helado y ponerlo en copas. Decorar con crema batida y servir inmediatamente.

Bavaroise de frambuesas

6 personas
Tiempo de preparación: 60 minutos
Tiempo de cocción: 15 minutos
Enfriamiento: 24 horas

Ingredientes

450 g de frambuesas
75 g de azúcar
3 yemas
3 dl de leche
15 g de gelatina en polvo
Jugo de 1 limón
Aceite común sin gusto para el molde

Preparación

1) Poner las frambuesas en un cedazo sobre un bol y espolvorearlas con 25 g de azúcar y dejarlas reposar.

2) Batir el resto del azúcar con las yemas hasta que estén livianas y esponjosas.

3) Calentar la leche. Echarla gradualmente sobre la mezcla de huevo y azúcar, batiendo constantemente.

4) Poner la mezcla en una cacerola y cocinar a bañomaría, revolviendo hasta que la salsa esté lo suficientemente espesa para cubrir el dorso de una cuchara de madera. Tener cuidado que no hierva, si no las yemas se cortarán. Sacar del fuego y enfriar lentamente.

5) Mientras tanto, ablandar la gelatina en 4 cucharadas de almíbar de las frambuesas, luego revolver sobre agua caliente hasta que el líquido esté claro y la gelatina disuelta.

6) Enfríar la mezcla de gelatina lentamente. Mezclar con el resto (custard).

7) Aplastar 2/3 de las frambuesas, reservando las mejores y pasarlas por cedazo para hacer un puré. Mezclar el puré con el custard. Luego agregar todo el resto de la fruta teniendo cuidado de no aplastarlas.

Agregar jugo de limón a gusto.

8) Batir la mitad de la crema suavemente. Volcarla dentro del custard con frambuesas.

9) Engrasar un molde decorativo con capacidad para un litro con una cucharada aproximadamente de aceite. Volcarle la crema de frambuesas y enfriar hasta que quede firme.

10) Cuando esté listo para servir batir el resto de la crema hasta endurecerla.

11) Hundir el molde sólo por 1 o 2 segundos en agua muy caliente. Desmoldar el bavaroise en una fuente, poner la crema en una manga con boquilla y decorar a los costados y por encima. Servir muy frío.

Bolitas de helados de agua, salsa de naranjas

Comprar los helados en una buena heladería. Siempre es mejor que hacer 5 gustos distintos para sólo ¼ kg de cada gusto.

4 personas
Tiempo de preparación: 10 minutos
Tiempo de cocción: 15 minutos

Ingredientes

8 bolitas de helado de naranja
8 bolitas de helado de frutilla
8 bolitas de helado de limón
8 bolitas de helado de durazno
8 bolitas de helado de ananá
24 hojas de menta fresca
250 g de azúcar
2 copas de jugo de naranjas

Preparación

1) Hacer un almíbar con el azúcar y el jugo de naranjas; si queda muy espeso agregar jugo de naranjas.

2) Lavar 24 buenas hojas de menta fresca y separarlas en 4 grupos.

3) Colocar 2 bolitas de helado de cada gusto en cada copa. Los helados deben ser de agua. Colocar 6 hojas en los bordes de las copas y rociar con el almíbar de naranjas.

Usar copas grandes y abiertas.

Helado de menta con hojas de menta fresca

8 personas
Tiempo de preparación: 1 ½ hora
Tiempo de cocción: 30 minutos
Tiempo de congelación: 4 horas

Ingredientes

100 g de hojas de menta fresca
1 litro de leche
1 litro de crema de leche
10 yemas de huevo
100 g de azúcar
1 vaso de licor de menta verde

Preparación

1) Picar finamente las hojas de menta eliminando los tronquitos.

2) Hacer hervir el litro de leche en cacerola que pueda ir luego a bañomaría. Después que suba 3 veces retirar del fuego; dejar enfriar; agregar revolviendo, no batiendo, las yemas de a una al azúcar, y cocinar sin dejar de revolver hasta que espese. Hay que tener mucho cuidado que no hierva porque se corta. Cuando ya tiene punto se retira y se deja enfriar. En un recipiente aparte batir la crema de leche agregando una taza de azúcar hasta darle punto chantilly. Luego mezclar ésta con el preparado anterior. Se reparte este contenido en 2 recipientes por partes iguales. En uno se agregan las hojas de menta finamente picadas y en el otro el licor de menta verde.

3) Forrar un molde tipo budín inglés con papel de aluminio. Volcar la preparación con las hojas y dejar congelar. Luego agregar la preparación verde. Volcar en fuente adecuada cuando ya esté congelado y retirar el papel de aluminio.

Helado de miel

4 personas
Tiempo de preparación: 50 minutos
Tiempo de congelación: 2 horas

Ingredientes

250 g de miel
3 yemas
250 g de crema de leche
3 claras a nieve

Preparación

1) Batir a bañomaría la miel con las yemas hasta que la preparación se vuelva espesa y de color amarillo claro: éste es el punto. Retirar del fuego y batir hasta que esté completamente frío.

2) Aparte, batir la crema de leche hasta que quede espesa, y suavemente incorporar a la preparación de la miel; por último, con movimiento envolvente, agregar las claras a nieve.

3) Poner a congelar no menos de 2 horas. Es aun mejor hacerlo el día anterior. Desmoldar y servir.

Delicia de mousse - helado de chocolate

8 personas
Tiempo de preparación: 1 ½ hora
Tiempo de cocción: 30 minutos
Tiempo de congelación: 4 horas

Ingredientes

450 g de chocolate
100 g de azúcar molida
8 yemas
1 litro de leche
1 litro de crema de leche
1 chaucha de vainilla

Preparación

1) Cortar 150 g de chocolate en pedacitos pequeños y reservar en un plato.

Cortar 150 g de chocolate en forma de chocolate en rama y reservar.

2) Forrar un molde alargado tipo budín inglés con papel de aluminio, y cubrir el fondo con el chocolate cortado en rama.

3) Cubrir con la ½ del helado-mousse de chocolate. Dejar congelar. Cubrir con el chocolate en pedacitos y dejar hasta el fondo del molde cubierto con el resto de la preparación del helado-mousse de chocolate. Dejar congelar. Darlo vuelta sobre una bandeja adecuada y sacarle el papel.

4) Para el helado-mousse de chocolate derretir el chocolate cortado en pedacitos (150 g) en la leche, añadir la vainilla y dejar cocinar despacito hasta que se reduzca a las ¾ partes. Batir aparte las yemas con el azúcar, y agregar, sin dejar de revolver, la preparación del chocolate. Dejar enfriar, retirar la vainilla. Aparte batir a punto chantilly 1 litro de crema. Cuando el preparado del chocolate esté frío, se une todo muy suavemente, y se procede a preparar todo como está indicado.

Parfait de frutillas

8 personas
Tiempo de preparación: 1 ½ hora
Tiempo de cocción: 30 minutos
Tiempo de congelación: 6 horas

Ingredientes para pionono

3 yemas de huevo, 4 claras
125 g de azúcar
60 g de harina
1 cucharadita de esencia de vainilla
Manteca para untar la plancha del horno

Para parfait de frutilla

1 kg de frutillas
200 g de azúcar
½ litro de crema de leche
10 yemas
250 cm^3 de vino blanco seco
1 cucharada de licor de cherry

Preparación

1) Hacer el pionono batiendo las yemas con el azúcar hasta que quede a punto; agregar la esencia de vainilla y la harina previamente tamizada. Por último mezclar suavemente con las claras a punto de nieve. Volcar la preparación en plancha enmantecada y cocinar en horno muy caliente, entre 8 y 10 minutos. Preparar una servilleta húmeda con agua fría y desmoldar sobre ésta.

2) *Helado:* Limpiar las frutillas y ponerlas a cocinar en el vino blanco y licor de cherry; dejar reducir a fuego lento revolviendo. Retirar del fuego y pasar por tamiz fino. Dejar enfriar. Aparte batir las yemas y el azúcar; incorporar a las frutillas. Batir la crema hasta punto chantilly y mezclar con la preparación anterior.

3) Sobre la plancha de pionono colocar el molde que se va a usar; cortar con un cuchillo de punta fina y bien afilado, apoyando sobre la base del molde para que quede la plancha del pionono de la forma que tenga la base del molde.

4) Poner en el fondo del molde el pionono; arriba, con mucho cuidado, volcar de a poco la preparación con la frutilla. Poner en congelador no menos de 6 horas. Sacar y desmoldar sobre la fuente en que se va a servir.

Soufflé helado de chocolate

8 personas
Tiempo de preparación: 20 minutos
Tiempo de congelación: 2 horas

Ingredientes

1 litro de crema de leche
4 cucharadas de azúcar
150 g de chocolate cortado en pedacitos
150 g de merengue

Preparación

1) Batir la crema con el azúcar hasta que espese, agregar suavemente el chocolate en pedacitos y el merengue deshecho.

2) Con esta preparación rellenar los moldes que se deseen y poner a congelar.

3) Desmoldar para servir, adornando con chocolate en rama.

Soufflé helado de frutillas

8 personas
Tiempo de preparación: 20 minutos
Tiempo de congelación: 2 horas

Ingredientes

1 litro de crema de leche
4 cucharadas de azúcar
1 kg de frutillas maduras
150 g de merengue

Preparación

1) Batir la crema con el azúcar hasta que espese, agregar suavemente las frutillas pasadas por tamiz y el merengue deshecho.

2) Con esta preparación rellenar moldes con la forma que se desee y poner a congelar.

3) Desmoldar para servir. Adornar con merengue deshecho.

Soufflé helado de café

4 personas
Tiempo de preparación: 60 minutos
Tiempo de congelación: 4 horas

Ingredientes

4 huevos
100 g de azúcar
2 cucharadas de café molido
50 g de chocolate
2 cucharadas de rhum
3 dl de crema espesa
Chocolate rallado

Preparación

1) Separar las yemas de las claras; batir las yemas con el azúcar y el café molido hasta que la mezcla se espese y se torne cremosa. Disolver el chocolate con una cucharada de agua en una pequeña cacerola, agregar el rhum y la mezcla de yemas y café.

2) Batir la crema y unirla con la mezcla del soufflé. Batir las claras e incorporarlas a la mezcla. Agregar 2 cucharadas de chocolate rallado, volcar en platos para soufflé individuales y congelar por 4 horas.

3) Decorar con un poco de chocolate rallado.

Omelette con helado de pistacho

4 personas
Tiempo de preparación: 30 minutos
Tiempo de cocción: 10 minutos

Ingredientes

8 claras
1 litro de agua
1/2 kg de azúcar
1/2 kg de helado de pistacho
Zócalo de pionono de 30 cm x 15 cm

Preparación

1) Hacer un almíbar con el agua y el azúcar hasta punto bolita.

2) Batir las claras muy firmes.

3) En un bol sobre hielo ir incorporando el almíbar a las claras sin dejar de batir, como si fuera una mayonesa.

4) Seguir batiendo hasta que esté completamente frío.

5) Colocar el helado de pistacho sobre el zócalo y en el centro.

6) Cubrir con el merengue, terminando en forma de pico. Gratinar. Deben quedar las puntas quemadas.

Cremas de ruibarbo

4 personas
Tiempo de preparación: 20 minutos
Tiempo de cocción: 10 minutos

Ingredientes

250 g de ruibarbo
50 g de azúcar
50 g de miel (de eucalipto si es posible)
3 dl de crema
1 copita de oporto
2 frutillas licuadas

Preparación

1) Limpiar el ruibarbo, cortarlo en tiritas muy finas de 2 cm de largo. Colocarlo en una cacerola con 2 cucharadas de agua. Cocinar durante 10 minutos. Luego agregar el azúcar y la miel, revolver y dejar enfriar.

2) Batir la crema muy fría, echar 1 copita de oporto y las 2 frutillas licuadas; mezclar bien.

3) Agregar poco a poco el ruibarbo y seguir batiendo. Colocar en cuatro copas individuales y darle una hora de frío.

Marquise

8 personas
Tiempo de preparación: 20 minutos
Tiempo de cocción: 90 minutos

Ingredientes

6 huevos
250 g de manteca
200 g de azúcar
150 g de chocolate
1 cucharada de harina

Preparación

1) Derretir a bañomaría el chocolate con manteca y azúcar revolviendo para que quede bien unido.

2) Batir los 6 huevos, añadir al chocolate, y por último incorporar la cucharada de harina.

3) Forrar un molde con papel enmantecado, cocinar en horno mediano a bañomaría hasta que la preparación esté seca al pincharla.

Profiteroles de "Clark's"

8 personas
Tiempo de cocción de la masa en cacerola: 15 minutos
Tiempo de cocción de las bombas en horno: 45 minutos y controlar

Ingredientes para los profiteroles

½ litro de agua
150 g de manteca
5 g de sal
250 g de harina
8 huevos
100 g de nueces picadas

Para la crema chantilly

¼ litro de crema fresca
200 g de azúcar

Para el chocolate

250 g de chocolate en barras
2 copas de Tía María o Grand Marnier
1 taza de leche
Diluir el chocolate con la leche a fuego lento, dejar cocinar por 12 minutos. Agregar Tía María y cocinar 8 minutos más.

Para el caramelo

250 g de azúcar
50 cm^3 de jugo de naranja
200 cm^3 de agua
Juntar el azúcar y el agua y cocinar suavemente hasta que tome color y brillo, retirar del fuego y cortar la cocción con el jugo.

Preparación

1) En una cacerola hacer hervir agua con la manteca y la sal. Verter la harina de una sola vez. Trabajarla vivamente con la espátula cerca del fuego por 10 minutos hasta obtener una pasta homogénea. Retirarla del fuego (antes estaba a 5 cm de un fuego al máximo) y agregar los huevos de dos en dos, trabajando enérgicamente con la espátula. Cuando se separa de las paredes de la cacerola está lista. Colocar esta pasta en una manga con un pico grande, rizado o liso.

2) Sobre una placa para hornear, previamente enmantecada, hacer unas bolitas del tamaño de una gran frutilla con la punta hacia arriba. Cocinar suavemente sin abrir el horno durante 45 minutos. Luego controlar.

3) Durante la cocción de las bombas se habrá preparado un caramelo liviano y transparente y una salsa de chocolate bien oscura y no muy espesa; a ésta se le puede agregar el Grand Marnier o Tía María.

4) Las bombas se partirán por el medio y rellenarán con helado de crema (que es lo más rico) o con la tradicional chantilly bien batida. Servir bien napadas, primero con la salsa de chocolate, luego con el caramelo y espolvorearlas con nueces picadas.

Alfajor de dulce de leche

8 personas
Tiempo de preparación: 30 minutos
Tiempo de cocción: 40 minutos

Ingredientes para la masa

4 huevos, 1 tazón de harina
1 cucharada colmada de manteca
Salmuera, cantidad suficiente

Relleno

1 kg de dulce de leche

Merengue para cubrir

4 claras, ½ litro de almíbar

Preparación

1) Colocar la harina en forma de corona; unir en el centro la manteca con las yemas, y de a poco, a medida que se necesita, la salmuera, hasta formar una masa que no se pegue. Dejar descansar en heladera por 1 hora.

2) Separarla en bollitos; espolvorear la mesa con harina y estirarlos en forma circular, para que queden del tamaño de un plato de comida; se pinchan y se cocinan sobre plancha enmantecada en horno muy caliente.

3) Unir los discos de masa con dulce de leche.

4) Batir las 4 claras a punto de nieve. Aparte preparar un almíbar a punto bolita, y echarlo sobre las claras sin dejar de batir vigorosamente, como si fuera una mayonesa; continuar batiendo hasta que enfríe. Con esto se cubre el alfajor.

Tarteletas de frutillas

8 personas
Tiempo de preparación: 40 minutos
Tiempo de cocción: 30 minutos

Ingredientes para la masa

500 g de harina, 3 yemas, 250 g de manteca
3 cucharadas de jugo de naranja sin colar
1 cucharadita de vainilla

Crema pastelera

1 litro de leche, 4 yemas
1 cucharada de maicena, 1 de harina
1 cucharadita de vainilla, 1 taza de azúcar

Relleno

1 kg de frutillas, 250 g de mermelada
3 cucharadas de kirsch

Preparación

1) Unir en el centro de los 500 g de harina todos los ingredientes y tomarlos de a poco con la harina hasta formar una masa blanda. Forrar moldes de tarteletas y cocinar en horno mediano.

2) *Crema pastelera:* Poner en la licuadora las yemas, azúcar, harina, maicena, vainilla y una taza de leche; licuar; mezclar con el resto de leche, y cocinar hasta que hierva y tome el punto deseado.

3) *Relleno:* Lavar y limpiar 1 kg de frutillas.

4) Desmoldar las tarteletas; rellenar con crema pastelera, y cubrir de frutillas en forma de pirámide. Dar unas vueltas en fuego lento a la mermelada con el kirsch y verter sobre las tarteletas. Dejar enfriar.

Tarteletas de pera

Todo es igual a la receta de las tarteletas de frutilla, menos el relleno.

8 personas

Ingredientes

4 peras
½ litro de vino borgoña
4 clavos de olor
Chocolate cobertura
¼ kg de almendras

Preparación

1) Preparar la masa como en las tarteletas de frutilla; cocinarlas y llenarlas con crema pastelera.

2) Pelar las peras y cocinarlas en borgoña con el clavo; cuando se hayan enfriado cortarlas por la mitad y extraerles el centro.

3) Poner en cada tarteleta con crema ½ pera con la parte lisa del centro para abajo.

4) Cubrir con chocolate cobertura y espolvorear con almendra machacada.

Tarta de manzanas

8 personas
Tiempo de preparación: 40 minutos
Tiempo de cocción: 1 ½ hora

Ingredientes

8 manzanas grandes
1 cucharada de Grand Marnier
2 cucharadas de dulce de leche
1 caja de gelatina de frambuesa

Masa

300 g de harina
150 g de manteca
3 yemas
1 cucharada de canela molida

Preparación

1) Poner la harina en forma de corona, en el centro los demás ingredientes, y unir hasta formar una masa que se despegue de la mesa. Hay que trabajarla bastante tiempo, y batirla con las manos y golpearla para que quede liviana.

2) Enmantecar un molde de 22 cm y enharinarlo. Extender la masa por el fondo y los costados hasta la mitad de su altura. Cubrir el fondo con dulce de leche.

3) Pelar las manzanas, sacarles el centro, cortar en finas láminas y disponerlas sobre la tarta. Luego rociar con Grand Marnier y llevar a horno moderado hasta que esté cocida.

4) Dejar enfriar y cubrir con gelatina de frambuesa.

Tarta de duraznos

8 personas
Tiempo de preparación: 30 minutos
Tiempo de cocción: 20 minutos

Ingredientes para la masa de la tarta

200 g de harina
100 g de manteca
1 yema
50 g de azúcar
2 cucharadas de jugo de naranja

Para el relleno

1 lata de duraznos al natural
Crema pastelera
2 cucharadas de mermelada de duraznos
2 cucharadas de licor de apricot

Preparación

1) Hacer una corona con la harina, colocar en el centro la manteca, yema, azúcar y jugo de naranja y hacer una masa liviana.

2) Forrar con ella una tartera y poner a cocinar en horno mediano por 20 minutos.

3) Mientras tanto, cortar los duraznos en finas láminas para armar la tarta y cocinar la mermelada de durazno con el apricot a fuego lento para que se reduzca.

4) Dejar enfriar la tarta y desmoldar.

5) Rellenarla con crema pastelera, decorarla con los duraznos y cubrir con la mermelada.

6) Es optativo hacer un borde de chantilly.

Tarta de uvas de distintos colores

8 personas
Tiempo de preparación: 45 minutos
Tiempo de cocción: 45 minutos

Ingredientes

225 g de harina común tamizada
Un poco de sal
2 cucharadas de azúcar impalpable
150 g de manteca blanda
1 yema de huevo

Relleno

225 g de uvas verdes
225 g de uvas negras
3 dl de jalea de durazno
Kirsch

Decoración

1 clara de huevo
1 racimo de uvas negras
Azúcar

Preparación

1) Masa: tamizar la harina, sal y azúcar en un bol. Trabajar la manteca con la punta de los dedos hasta que la mezcla parezca miga de pan. Hacer esto muy suave y ligeramente para evitar que la mezcla se torne grasosa y pesada. Batir la yema de huevo y agregar 4 cucharadas de agua fría. Verterla sobre la masa y trabajar ligeramente con los dedos. Estirar la masa húmeda suavemente formando un círculo chato. Envolver en plástico y guardar en la heladera por lo menos una hora para que la masa descanse.

2) Si la masa fría está demasiado firme para trabajarla, dejarla a temperatura ambiente hasta que se ablande un poco. Luego llevarla a una mesada enharinada y amasarla. Tapizar una tartera desmontable y perforar la masa con un tenedor. Precocinar en un horno precalentado a 230° C durante 15 minutos, bajar el fuego a 180° C y hornear por 30 minutos. Si la masa está demasiado tostada, cubrir con papel de aluminio arrugado.

3) Pelar, cortar en mitades y despepitar las uvas verdes y las uvas negras. Disponerlas formando triángulos de distintos colores sobre la tarta, reservando un racimo para decorar.

4) Para hacer la salsa de durazno agregar de 4 a 6 cucharadas de agua a la jalea de durazno y calentarla, revolviendo constantemente hasta que esté líquida; agregar kirsch a gusto. Echarla sobre las uvas.

5) Batir ligeramente la clara de huevo. Sumergir el racimo de uvas reservadas en la clara, tomándolo por el cabito. Escurrirlo y pasarlo por azúcar. Dejar secar y luego ubicarlo en el centro de la tarta.

Custard

Tiempo de preparación: 10 minutos
Tiempo de cocción: 20 minutos

Preparación

Mezclar leche con maicena y azúcar a gusto en una cacerola a bañomaría. Hervir. Echar un poco de esta preparación sobre yemas de huevo bien batidas, mezclar bien y luego verter las yemas batidas a la mezcla de leche y maicena y cocinar a bañomaría, revolviendo constantemente con una cuchara de madera, hasta que la mezcla esté espesa pero suave. No debe hervir. Agregar extracto de vainilla a gusto, colar y enfriar.

Esta preparación sirve para cubrir tartas, flanes, relleno de crêpes, etcétera.

Es una salsa típica inglesa.

Lengüitas de gato

Estas lengüitas las hacíamos en "La Chimère" para los helados. Deben guardarse en una lata cerrada.

Aproximadamente para 24 lengüitas
Tiempo de preparación: 20 minutos
Tiempo de cocción: 10 minutos

Ingredientes

Manteca y harina para las planchas para horno
50 g de manteca templada, 50 g de azúcar
2 claras, 50 g de harina

Preparación

1) Precalentar el horno a temperatura moderadamente suave. Enmantecar y enharinar 2 ó 3 placas para horno.

2) En un bol batir la manteca ablandada hasta que esté cremosa. Agregar azúcar y batir enérgicamente con una cuchara de madera hasta que la mezcla esté pálida y espumosa (esto tomará varios minutos; el éxito de las lengüitas depende mucho del adecuado batido).

3) Poner las claras en una fuente poco profunda. Luego, con una cucharadita de té, agregarlas (sin batir) a la mezcla de manteca de a poco, batiendo enérgicamente después de cada cucharadita.

4) Cernir la harina sobre la mezcla y revolver de abajo hacia arriba suave pero firmemente con una cuchara de metal.

5) Poner la mezcla en una manga con un pico chato de 0,5 cm y formar las lengüitas de 7,5 cm, a 5 cm cada una, ya que se desparraman mucho. Si no se tienen suficientes placas para hornear todas al mismo tiempo, la pasta no sufrirá si se hacen por tandas.

6) Hornear durante 5 minutos o hasta que las lengüitas estén muy finas y con los bordes color marrón. Llevarlas rápidamente con una espátula a una rejilla y dejarlas que se enfríen antes de servir o de guardar en un recipiente.

Mis scons

Tiempo de preparación: 20 minutos
Tiempo de cocción: 15 minutos

Ingredientes

350 g de harina
2 cucharadas al ras de polvo de hornear
½ cucharada al ras de sal
150 g de manteca
2 huevos bien batidos
7 cucharadas de leche muy fría

Preparación

1) Precalentar el horno a alta temperatura (240° C).

2) Tamizar la harina, el polvo de hornear y la sal en un bol. Agregar manteca y trabajar con la yema de los dedos hasta que la masa se asemeje a una miga de pan.

3) Hacer un hueco en el centro y echar allí los huevos batidos y la leche. Ir mezclando con un tenedor hasta que la masa se haya unido totalmente.

4) Poner la masa sobre una mesada enharinada y estirar con un palo de amasar suave y rápidamente en un réctangulo de alrededor de 1,5 cm de grosor. Doblar en 3 y estirar nuevamente. Repetir el procedimiento dos veces más, tocando la masa lo menos posible y trabajando muy rápido.

5) Después de doblar la masa por tercera vez, estirarla hasta un grosor de 1,5 cm y cortar redondeles de 6,5 cm con un cortapasta enharinado.

6) Ubicar los scons en una plancha y hornear durante 10 a 15 minutos o hasta que se hayan elevado y tomado un color bien dorado. Servir calientes.

Fondos, salsas,
mantecas y aderezos

Roux

En diversas recetas hablamos de roux como elemento de fondo o ligazón de las salsas. Hay dos roux básicos: el blanco y el oscuro. Para el primero:

50 g de manteca
1 taza de café, de harina

Derretir la manteca, agregar la harina y trabajar con un batidor sin dejar que tome color. Luego verter leche si queremos hacer una salsa blanca, o vinos o fumet para otro tipo de salsas. Por ejemplo, si quisiéramos hacer una salsa de mostaza, a este roux blanco le agregaríamos leche, mostaza tipo Dijon, mostaza inglesa, curry, vino blanco seco y sal. La consistencia de estas salsas debe ser cremosa, aunque más o menos líquida según se desee.

Si lo que se quiere es hacer un roux oscuro: dejar cocinar bien la manteca y la harina hasta que tome un color tostado y agregar luego los ingredientes.

Si se busca un roux rubio: proceder igual pero dejando tostar menos.

Salsa con fondo oscuro

Esta salsa se puede congelar en cubeteras de hielo. La usaremos como madre de salsas de vinos para carnes rojas, aves y caza.

Cuando la necesitemos bastará con sacar los cubitos necesarios sin descongelarla toda.

Tiempo de preparación: 15 minutos
Tiempo de cocción: 24 horas (reducción lenta)

Ingredientes

4 kg de carne en pedazos, salteada (rojas, blancas o de caza)
5 kg de huesos de espinazo
½ cabeza de ajo
12 litros de agua
4 litros de buen vino tinto
2 cucharadas de tomillo
2 cucharadas de estragón
8 zanahorias cortadas en dados
4 cebollas
4 tazas de apio cortado en dados
300 g de tocino
300 g de jamón cocido
500 g de hígados de ave
1 taza de aceite de maíz
3 dl de salsa de soja
Pimienta negra recién molida
200 g de manteca cortada en dados
Fécula

Preparación

1) Tostar los huesos en el horno en una asadera con ½ cabeza de ajo en camisa. No retirar del horno hasta que no estén bien dorados.

2) Llenar una cacerola grande con 12 litros de agua y 4 litros de buen vino tinto. Retirar los huesos del horno y echarlos en esta cacerola, junto con la carne salteada. Agregar estragón y tomillo y dejar hervir por 10 horas aproximadamente a fuego mediano.

3) Preparar una *mirepoix* con zanahorias, cebollas, apio, tocino, jamón e hígados de ave cortados en pequeños dados y saltear en sartén con un poco de aceite. Agregar a la salsa anterior. Cocinar durante 2 horas.

4) Pasar todo por un colador chino, incorporar salsa de soja y pimienta negra y ligar con fécula disuelta en vino tinto dejando seguir la cocción a fuego muy suave. Agregar los dados de manteca para suavizar el gusto y darle brillo.

Fumet de pescados

Tiempo de preparación: 5 minutos
Tiempo de cocción: 60 minutos

Ingredientes

2 cebollas en aros
4 zanahorias en rodajas
2 puerros (parte blanca) en juliana
2 ramos de perejil
2 ramos de hierbas aromáticas
3 cabezas y espinazos de pescado
Sal y pimienta
Vino blanco seco

Preparación

Mezclar todo menos el vino en una cacerola y cubrir con agua. Hervir durante 15 minutos, retirar, dejar enfriar, agregar el vino blanco en la misma cantidad que el agua que quedó en la cacerola, cocinar durante 45 minutos a fuego suave, colar, dejar enfriar y limpiar. Pasar por un cedazo y una vez frío dejar en la heladera. Es una base para salsas y cocciones de pescado.

Court-bouillon

El court-bouillon es tanto un caldo para cocinar el pescado como una base para salsas.

Tiempo de preparación: 10 minutos
Tiempo de cocción: 45 minutos

Ingredientes

2 cebollas picadas
2 blancos de puerro en juliana
8 tallos de perejil
4 zanahorias en juliana
2 ramos de hierbas aromáticas
2 cucharadas de vinagre de hierbas (según el aroma predominante que se quiera dar al caldo)
Sal, pimienta en grano

Preparación

Unir todo más o menos con 2 litros de agua y llevar a ebullición. Dejar luego cocinar a fuego suave. Incorporar el vinagre al final.

Variante

A los ingredientes citados agregar 2 limones cortados en rodajas muy finas y cocinar todo en 1 parte de leche por 4 de agua.

Marinada para brochettes

Las brochettes de carnes son famosas en el mundo entero y practicadas tanto en Francia como en Turquía, en el lejano oriente como en los países árabes. Se usan carnes de todo tipo, rojas, blancas, pescados y también mariscos. Son muy fáciles de hacer, sabrosas y prácticas, ya que se pueden preparar con anticipación y el tiempo de cocción es poco, si se tiene el cuidado de cortar la carne en cubos chicos.

El secreto de la brochette reside en la marinada, que le da un aroma y un sabor muy especial y hasta shocking`a la carne.

Para asar conviene colocar los pinchos a una distancia de 8 a 10 cm del fuego, dándoles vuelta ocasionalmente y rociando la carne varias veces con la marinada.

Las posibilidades de combinación de las brochettes son infinitas: vaca, cordero, cerdo, pescados, mariscos, mezclándola alternadamente con cebollas —crudas o cocidas—, ajíes verdes o colorados, cubitos de papa, champiñones, berenjenas en rodajas, tomates, manzanas, y también panceta o tocino.

Ingredientes

Para 2 brochettes:
1 blanco de puerro picado
½ cebolla picada
6 cucharadas de perejil picado
6 cucharadas de aceite de oliva
Pimienta negra recién molida

Preparación

1) Mezclar todos los ingredientes. Dejar reposar una hora.

2) Introducir las brochettes en la marinada y dejarlas entre 6 y 12 horas, según el grado de impregnación que se quiera.

3) Cocerlas como queda dicho, rociándolas con la marinada.

Marinada marroquí para carnes rojas

Ingredientes

Parte blanca de un puerro picado
1 cebolla picada
1 cucharada de sal marina
½ cucharadita de té, de comino en polvo
½ cucharadita de té, de jengibre en polvo
Pimienta negra machacada
4 cucharadas de aceite de oliva
Pimienta de Cayena
Paprika

Preparación

Machacar el puerro, la cebolla y la sal en un mortero. Untar la carne y espolvorear con la pimienta, el comino y el jengibre. Agregar aceite de oliva, pimienta de Cayena y paprika a gusto. Mezclar bien. Dejar una noche en la heladera.

Marinada para pescados

Para 4 brochettes

Ingredientes

2 tazas de aceite de maíz
1 taza de vino blanco seco
3 clavos de olor
4 hojas de laurel
2 cucharadas de pimienta blanca en grano
2 cucharadas de pimienta negra en grano
1 cucharada de curry en grano
4 ramos de romero fresco

Preparación

1) Cortar el pescado en dados de 2,5 x 2,5 cm, por ejemplo salmón de mar, mero, congrio o chernia.

2) Mezclar todos los ingredientes de la marinada, introducir en ella los dados de pescado y dejarlos toda la noche en la heladera.

Manteca con vino blanco, echalotes y limón

Salsa muy buena para pescados o mariscos grillados. Durante la cocción de los mismos, pintar las carnes constantemente con esta manteca.

Ingredientes

300 g de manteca
Jugo de 1 limón
1 copa de vino blanco
2 echalotes
2 cucharadas de vinagre de echalote

Preparación

1) En una cacerola de fondo doble, reducir 2 echalotes picados finos con el vinagre, el vino y el jugo de limón.

2) Retener el líquido colando los echalotes. En una cacerola de fondo doble y a fuego suave mezclar la manteca con la reducción, batiendo, sin dejar que la manteca se corte.

Manteca con puré de hierbas y echalotes

Ideal para pescados.

Ingredientes

2 ramitos de perejil
Estragón fresco
Ciboulette
1 taza de espinacas en puré bien escurrida
2 echalotes blanqueados y picados
2 cucharadas de alcaparras
10 filetes de anchoas sin espinas
1 diente de ajo machacado y picado
2 yemas de huevo
200 g de manteca, ésta a último momento

Preparación

1) Llevar todo a un mortero y luego tamizar.

2) Colocar en un bol y verter muy de a poco la manteca derretida hasta que quede una salsa suave y uniforme.

Manteca de mariscos

Cuando se descasquen camarones, centollas, langostas, langostinos, pueden guardarse las cáscaras y hacer con ellas una manteca para congelar en cubetera y usar como madre para salsas de mariscos o pescados.

También es indicada para platos de pastas con mariscos.

2 tazas
Tiempo de preparación: 5 minutos
Tiempo de cocción: 3 horas

Ingredientes

Cáscaras de mariscos citados, muy aplastadas
300 g de manteca
2 copas de vino blanco seco
½ cebolla picada
3 tallos de apio en juliana
2 dientes de ajo aplastados
1 zanahoria en rodajas
Sal
Pimienta negra recién molida
Curry
Cayena

Preparación

1) En una cacerola con fondo grueso derretir la manteca y rehogar la cebolla, apio, ajo y 1 zanahoria.

2) Agregar las cáscaras bien pisadas, el vino y las especias.

3) Dejar hervir a fuego suave durante 3 horas; las cáscaras van perdiendo su color.

4) Pasar por un colador chino y apretar bien para que filtren todos los jugos.

5) Colocar en potes o en cubeteras. Congelar.

Optativo: Extracto de tomate a último momento de la cocción.

Variaciones sobre mantecas compuestas

Me gusta mucho trabajar con manteca, ir derritiéndola y batiendo al mismo tiempo para dejarla suave y ligera. La base de manteca es ideal para salsas para pescados y mariscos. Además son muy rápidas de hacer y livianas y frescas. Despiertan la imaginación y permiten mil combinaciones alquímicas.

Estas mantecas siempre estaban en mi mesa en Buzios, donde sólo hacíamos una comida diaria, muy abundante, con langostas y pescados, excepcionalmente pastas, rara vez carnes rojas.

Un plato típico era la langosta mojada en una de estas mantecas. A eso de las cinco de la tarde las mujeres ponían una olla al fuego con 2 zanahorias, 2 cebollas cortadas en aros, 2 apios en rodajitas, 1 hoja de laurel, sal y pimienta, y agua hirviendo. Cuando llegábamos de la pesca submarina, elegíamos unas cuatro o cinco langostas grandes, les cepillábamos la panza para dejarlas inmóviles e insensibles, y las echábamos vivas al caldo unos 15 minutos. Las partíamos por la mitad y las acomodábamos en una fuente, junto con una cacerolita con la salsa del caso. Allí mojábamos los trozos de langosta.

La base de todas las mantecas se prepara con:

200 g de manteca
Sal y pimienta negra recién molida

A ella se agregará alguna de las siguientes combinaciones:

1) 1 taza de café, de alcaparras
Jugo de 2 limones

2) 1 copa de vino blanco seco
1 cucharadita de café, de curry

3) 8 filetes de anchoas sin espinas bien pisados
1 cucharadita de café, de eneldo fresco picado

4) 1 cucharada de vinagre de estragón
1 cucharada de estragón fresco picado
Jugo de 1/2 limón

5) 2 huevos duros picados
1 cucharadita de té, de eneldo fresco picado
1 cucharada de vinagre de eneldo

6) 1 cucharada de curry fuerte
3 cucharadas de alcaparras
Jugo de 2 limones

Todas estas salsas deben servirse muy calientes y cuidar que no se corte la manteca. Para ello lo ideal es derretir y batir la manteca, a la cual se le agregará una vez que esté cremosa el resto de los ingredientes, en una cacerolita de doble fondo o bien a bañomaría.

Usábamos también una variante muy rica para pastas:

7) 1 taza de café, de gruyère rallado
1 tomate licuado o 1 cucharada de extracto de tomate

Salsa de queso (pastas o pescados, aves, vegetales y huevos)

Tiempo de preparación: 5 minutos
Tiempo de cocción: 25 minutos

Ingredientes

3 cucharadas de manteca
3 cucharadas de harina
¼ litro de caldo de ave
2 dl de crema
3 cucharadas de gruyère rallado
3 cucharadas de parmesano rallado
Nuez moscada
Sal y pimienta negra recién molida

Preparación

1) Cocinar a bañomaría. En una cacerola de doble fondo derretir la manteca, agregar la harina y hacer un roùx rubio, verter el caldo.

2) Incorporar la crema y revolver.

3) Agregar los quesos y revolver.

4) Sazonar y seguir cocinando durante 20 minutos.

Sauce Siobhan (caliente)

Esta salsa es ideal para pescados y mariscos.

4 personas
Tiempo de preparación: 10 minutos
Tiempo de cocción: 30 minutos

Ingredientes

2 cucharadas de harina
3 cucharadas de manteca
2 cucharadas de fumet de pescado
2 cucharadas de extracto de tomate
1 cucharada de perejil muy picado
3 copas de champagne
1 cucharadita de azúcar
4 cucharadas de crema
Sal, pimienta negra, macis, curry, laurel
6 champiñones picados finos
1 cucharadita de eneldo picado
1 pizca de romero

Preparación

1) Preparar 2 tazas de salsa con 2 cucharadas de manteca, harina y fumet de pescado.

2) Agregar extracto de tomate y perejil.

3) Batir bien y cocer a fuego moderado durante 15 minutos.

4) Agregar el champagne, 1 cucharada de manteca, crema, macis, curry, laurel, romero y eneldo y poca sal, pimienta, azúcar y los champiñones.

5) Volver a calentar mezclando todo sin dejar de batir.

Salsa "Clark's"

Para 3 litros
Tiempo de preparación: 1 hora 50 minutos
Tiempo de cocción: 1 hora 20 minutos

Ingredientes

3 litros de caldo
1 botella de vino tipo Cabernet
½ kg de carne magra
1 kg de caracú
½ kg de panceta ahumada cortada en dados
100 g de paté
100 g de extracto de tomate
2 cucharadas de extracto de carne
200 g de manteca
1 cebolla mediana cortada en dados
2 zanahorias cortadas en dados
1 ramito de estragón
Laurel
Sal y pimienta
3 cucharadas de harina
1 copa de vino tinto

Preparación

1) Derretir la manteca en una cacerola, agregar las verduras, las carnes y los huesos cortados y saltear todo durante 10 minutos.

2) Incorporar el caldo, el vino y los demás ingredientes.

3) Hervir aproximadamente 1 hora espumando de vez en cuando.

4) Retirar del fuego, separar la carne y los huesos y tamizar el resto.

5) Llevar de nuevo al fuego y ligar, si fuera necesario, con 3 cucharadas de harina disueltas en una copa de vino tinto.

6) Cocinar durante 10 minutos más.

Salsa con curry y mostaza (fría)

4 personas
Tiempo de preparación: 15 minutos

Ingredientes

1 taza de Mendicrim
1 taza de mayonesa con limón
3 cucharadas de crema
2 cucharadas de cebolla rallada
½ papa hervida y tamizada
4 cucharadas de curry Madrás
Sal, cardamomo
1 cucharadita de café, de mostaza Colman's disuelta en cognac

Preparación

1) En un bol poner el Mendicrim y agregar la mayonesa de a poco mientras se va mezclando con un tenedor.

2) Añadir la cebolla, la papa, la crema, y por último el curry, la sal, el cardamomo y la mostaza disuelta en cognac.

Salsa dulce para caza (fría o caliente)

Ideal para carnes de caza, chancho frío o costillitas de chancho salteadas en sartén con poca manteca y apenas aceite. A último momento desgrasar con una copa de vino blanco seco. Servir acompañadas con esta salsa.

Ingredientes

2 cucharadas de dulce de naranjas
4 cucharadas de dulce de ciruelas
4 cucharadas de dulce de guindas
2 cucharadas de mostaza tipo Dijon
1 taza de vino blanco
1 cucharada de vinagre de manzana con eneldo
1 cucharada de ralladura de cáscara de naranjas blanqueada

Preparación

Dar un hervor, mezclar bien y retirar del fuego, dejar enfriar. Se puede servir fría o caliente.

Colocar en un frasco con tapa hermética y conservar en la heladera.

Salsa de anchoas, especias y hierbas

Esta salsa es ideal para tomates, alcauciles y ensaladas en general.

4 personas
Tiempo de preparación: 30 minutos

Ingredientes

12 filetes de anchoas sin espinas
½ taza de aceite de oliva
Jugo de 3 limones
4 gotas de Tabasco
Sal, pimienta negra recién molida
12 aceitunas negras
1 copita de vinagre de estragón
1 cucharadita de mostaza tipo Dijon
1 cucharada de postre, de pimienta verde
1 copa de champagne
1 poquito de romero fresco

Preparación

1) Sacar las espinas a las anchoas con cuidado y luego machacar la carne.

2) Mezclar con el aceite, el jugo de los limones, Tabasco, sal y pimienta, romero y las aceitunas bien picadas, vinagre de estragón, mostaza tipo Dijon, pimienta verde, la mitad machacada y la otra entera, y el champagne.

Salsas mayonesa

Ingredientes

Hacerla en una batidora con:
2 huevos enteros
4 cucharadas de jugo de limón o vinagre
1 cucharadita de café, de mostaza en polvo
Sal, pimienta negra recién molida
2 dl de aceite de oliva

Preparación

1) Mezclar todo en el vaso menos el aceite, tapar y llevar a máxima velocidad.

2) Cuando esté bien mezclado agregar 2 dl de aceite de oliva muy de a poco y seguir batiendo.

Mayonesa verde

Agregar 4 cucharadas de espinacas cocidas al vapor y pasarlas por licuadora. Quedará una salsa verde, ideal para preparar platos fríos, por ejemplo, para poner en toda la base de un plato y los huevos escritos sobre la mayonésa verde.

Mayonesa con rábano picante

Para mariscos, pescados y huevos fríos.

Mezclar 4 dl de mayonesa con el jugo de 1/2 limón, salpimentar.

Justo antes de servir agregar 3 cucharadas de rábano picante rallado. Mezclar.

Para una tártara

Para una taza de mayonesa:
1 cucharada de postre, de perejil picado
1 cucharada de postre, de estragón fresco picado
2 cucharadas soperas de alcaparras enteras

Opcional: 1 cucharada de pepinitos en vinagre picados. Agregar y mezclar con la mayonesa.

Con mostaza y pepinos

1 taza de mayonesa
1 cucharada de perejil picado
2 cucharadas de mostaza tipo Dijon
¼ de pepino picado

Mezclar bien.

Para ensaladas

Anchoas con aceitunas

Para 1 taza.

Ingredientes

1 cucharada de perejil picado
1 cucharada de anchoas aplastadas y picadas
1 cucharada de alcaparras picadas
2 huevos duros y picados
1 cucharada de aceitunas negras picadas
½ taza de aceite de maíz
2 cucharadas de vinagre de estragón
Sal y pimienta negra recién molida
2 cucharadas de vino blanco seco

Preparación

1) Aplastar y picar los huevos. Mezclar con perejil, anchoas, alcaparras, aceitunas.

2) Verter el aceite, vinagre y vino. Salpimentar.

Para ensaladas
Blue Cheese, gorgonzola o roquefort

Para 1 taza.

Ingredientes

2 cucharadas de queso azul pisado
½ taza de aceite de maíz
2 cucharadas de crema
2 cucharadas de vinagre de vino blanco
Pimienta negra recién molida
Jugo de ½ limón

Preparación

1) Pisar bien el queso y hacer una pasta homogénea. Mezclar con la crema, el aceite, vinagre y pimienta negra recién molida.

2) Agregar el jugo de limón y sal si es necesario, y mezclar nuevamente.

Para ensaladas

Con hierbas frescas

Para 1 taza.

Ingredientes

1 cucharadita de té, de mostaza en polvo inglesa
1 cucharada de perejil picado
2 cucharadas de vinagre de vino
½ taza de aceite de maíz
1 cucharada de ciboulette picada
1 cucharada de estragón picado

Preparación

1) Mezclar el aceite gradualmente con la mostaza.

2) Verter el vinagre.

3) Agregar las hierbas.

Mezclar bien antes de servir.

Para ensaladas
Con mostaza tipo Dijon y cerveza

Para 1 taza.

Ingredientes

2 cucharadas de mostaza tipo Dijon
1/4 taza de cerveza
1/4 taza de aceite de maíz
1 cucharada de vinagre de eneldo
Sal y pimienta negra recién molida

Preparación

Disolver la mostaza en la cerveza, agregar aceite de maíz y vinagre, sal y pimienta negra recién molida.

Vinagres

Vinagres

Los vinagres de hierbas —que también se pueden hacer con verduras, frutas, flores o especias— son deliciosos y contribuyen a dar aromas diferentes a ensaladas y salsas. Son fáciles de preparar pero se deben tener precauciones.

1) Lo mejor es usar para la preparación frascos de boca ancha, pero que no tengan aros u otros elementos metálicos. Si ello sucediera se debe cubrir con un plástico primero, porque en ningún momento el vinagre debe tocar el metal.

2) Se dejará el vinagre con las hierbas tres semanas sin tocar.

3) Se deben usar hierbas frescas, a las que se lavará y dejará secar unas seis horas antes de usarlas.

4) Deben seleccionarse hojas que estén sanas y frescas y en lo posible cosechadas antes de la florescencia de la planta.

5) Lo mejor es usar un vinagre de vino blanco o de manzana, más suave que el vinagre de vino tinto que, además, es muy oloroso.

6) Una vez listo puede pasarse a una botella común y tapar con un corcho, colocando una ramita de la hierba como muestra. También puede dejarse en el frasco de boca ancha y utilizar la hierba para condimentar. Por ejemplo, para hacer una salsa béarnaise, retiro ramitas de estragón y un diente de echalote y los pico, agregando al frasco hierbas nuevas.

Vinagre de estragón

Existen dos tipos de estragón: el francés y el ruso.

Si bien el francés es de más lento crecimiento y también más complicado, es infinitamente superior al ruso por su aroma.

Ingredientes

1 taza de hojitas de estragón
4 tazas de vinagre de vino blanco

Modo 1

Con todo el vinagre llevar las hojitas a un hervor de 2 minutos, retirar, dejar enfriar y embotellar en un vidrio de boca ancha. Tapar y dejar por un mínimo de 3 semanas.

Modo 2

Directamente juntar las hojas con el vinagre. Dejar por 3 semanas, abrir y probar.

Vinagre de menta

Ingredientes

1 taza de hojas de menta
1 cucharadita de té, de pimienta negra en grano entero
6 hojitas de ciboulette enteras
4 tazas de vinagre de vino blanco

Preparación

Igual que para el de estragón. Si se quiere, llevar todo a un hervor, o directamente mezclar todo y cerrar bien. Abrir a los 30 días.

Vinagre de ajo o echalote

En el vinagre de ajo o echalote se puede usar vinagre de vino tinto o blanco.

Las proporciones son, para 1 litro de vinagre: 8 dientes grandes de ajo pelados y picados.

Para el de echalote: ¾ de taza de echalotes pelados y picados.

Llevar a un hervor y mantener durante 5 minutos. Dejar enfriar y embotellar. A los siete días abrir y probar. Si hace falta más sabor, dejar por otros siete días.

Otros vinagres pueden hacerse con ciboulette, romero, eneldo, salvia, albahaca, etc., incluso también mezclando hierbas.

Vinagre de frambuesas

Este vinagre no es bueno para ensaladas, pero sí para hacer salsas de carnes rojas o salvajes.

Ingredientes

500 g de frambuesas pisadas
800 cm³ de vinagre

Preparación

1) Pisar bien las frambuesas y colocarlas en un tazón abierto junto al vinagre por 4 días, tapado con un lienzo y revolviendo una vez por día.

2) En el 5º día, pasar por un cedazo, estrujando suavemente sin dejar pasar la pulpa. Tapar en una botella y usar a partir de los 45 días.

Índice

Entradas frías

Entradas tibias

Entradas calientes

Intermezzo - Sorbetes y ensaladas agrias

Platos centrales - Carnes rojas

Platos centrales - Carnes blancas

Platos centrales - Carnes de caza

Platos centrales - Pescados y mariscos

Platos centrales - Entrañas

Pastas

Cazuelas y guisados

Pasteles

Guarniciones

Postres y otros dulces

Fondos, salsas, mantecas y aderezos

Vinagres

Esta edición de 3000 ejemplares
se terminó de imprimir en
Industria Gráfica del Libro S.A.,
Warnes 2383, Buenos Aires,
en el mes de setiembre de 1992.